전면개정판 제36회 공인중개사 시험대비

박문각 공인중개사

2024년 제35회 공인중개사시험

기출문제해설

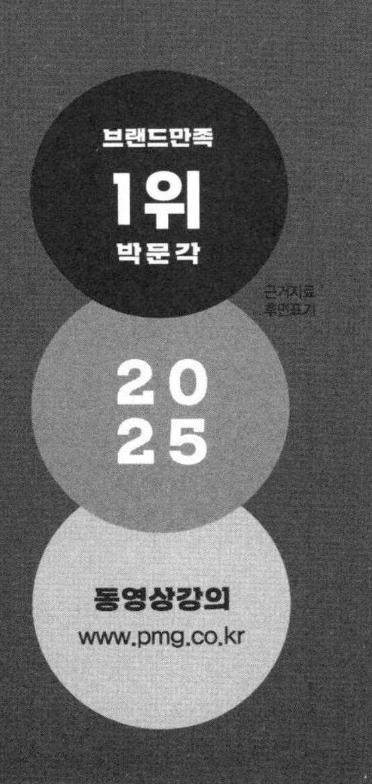

박문각 부동산교육연구소 편

합격까지 박문각
합격 노하우가 다르다!

공인중개사 과목별 최근 5개년 출제경향분석

부동산학개론

구분		제31회	제32회	제33회	제34회	제35회	총 계	비율(%)
부동산학 총론	부동산의 개념과 분류	2	2	3	2	4	13	6.5
	부동산의 특성	1	1	1	1	1	5	2.5
	소 계	**3**	**3**	**4**	**3**	**5**	**18**	**9.0**
부동산학 각론	부동산 경제론	6	6	5	5	4	26	13.0
	부동산 시장론(입지)	5	4	7	6	4	26	13.0
	부동산 정책론	7	4	4	5	6	26	13.0
	부동산 투자론	3	6	5	8	4	26	13.0
	부동산 금융론	4	6	6	3	5	24	12.0
	부동산 개발 및 관리론	5	5	2	4	6	22	11.0
	소 계	**30**	**31**	**29**	**31**	**29**	**150**	**75.0**
부동산 감정평가론	감정평가의 기초이론	1	1	1	1	2	6	3.0
	감정평가의 방식	5	4	5	4	3	21	10.5
	부동산 가격공시제도	1	1	1	1	1	5	2.5
	소 계	**7**	**6**	**7**	**6**	**6**	**32**	**16.0**
총 계		**40**	**40**	**40**	**40**	**40**	**200**	**100.0**

제35회 부동산학개론 시험은 중상 정도의 난이도로 출제되었다(제34회는 중 난이도).
앞부분에 어려운 문제를 집중적으로 배치하고 지엽적인 곳에서 정답을 주는 등 의도적으로 부동산학개론의 난이도를 올리려고 하는 의도가 보였고, 작년과 비교할 때 난이도 하의 문제 4문제 정도가 민법과 개론이 위치를 바꾼 것으로 보인다(작년에는 민법이 어려웠고 올해는 개론이 어려웠다는 의미).

구체적으로 살펴보면, 이론문제는 상(10문항), 중(5문항), 하(16문항)의 난이도로 구성되었고, 계산문제는 상(2문항), 중하(5문항), 하(2문항)의 난이도로 구성되었다. 계산문제는 총 9문제가 출제되었는데 그중 7문제는 충분히 풀 수 있는 전형적인 패턴의 문제가 출제되었다. 계산문제를 모두 버린 수험생들은 올해의 경우 힘들었을 것으로 보여 계산문제를 준비한 수험생에게 유리한 시험이었고, 공법 4문제, 지적법 1문제, 세법 1문제 등이 출제되어 동차준비 수험생에게 유리한 시험이었다고 볼 수 있다.

최근 시험은 난이도 '상'과 난이도 '하' 문제가 뚜렷이 구분되고 있어 버릴 것은 버리고 취할 것은 확실하게 공부하는 기존의 방식(난이도의 양극화를 대비한 선택과 집중) 그대로 유지하는 전략이 필요하고, 2차 과목인 공법이나 세법 등으로 난이도 조절을 하는 패턴이 유지되고 있기 때문에 1차 과목에만 집중하지 말고 처음부터 1차와 2차 전 과목에 골고루 학습시간을 배분하는 학습방법이 효과적이라 할 수 있겠다.

민법·민사특별법

구 분		제31회	제32회	제33회	제34회	제35회	총 계	비율(%)
민법 총칙	법률관계와 권리변동				1		1	0.5
	법률행위	1	3	2	2	1	9	4.5
	의사표시	2	1	1	1	4	9	4.5
	법률행위의 대리	4	3	4	3	2	16	8.0
	법률행위의 무효와 취소	2	2	2	2	2	10	5.0
	조건과 기한	1	1	1	1	1	5	2.5
	소 계	**10**	**10**	**10**	**10**	**10**	**50**	**25.0**
물권법	물권법 일반	1	2	3	2	2	10	5.0
	물권의 변동	3	2		2	2	9	4.5
	점유권	1	1	2	1	1	6	3.0
	소유권	2	3	3	2	2	12	6.0
	용익물권	3	3	3	3	4	16	8.0
	담보물권	4	3	3	4	3	17	8.5
	소 계	**14**	**14**	**14**	**14**	**14**	**70**	**35.0**
계약법	계약법 총론	7	5	5	3	8	28	14.0
	계약법 각론	3	5	5	7	2	22	11.0
	소 계	**10**	**10**	**10**	**10**	**10**	**50**	**25.0**
민사 특별법	주택임대차보호법	2	2	1	1	1	7	3.5
	상가건물임대차보호법	1	1	1	1	2	6	3.0
	가등기담보법	1	1	1	1	1	5	2.5
	집합건물법	1	1	2	1	1	6	3.0
	부동산실명법	1	1	1	2	1	6	3.0
	소 계	**6**	**6**	**6**	6	6	30	15.0
총 계		**40**	**40**	**40**	**40**	**40**	**200**	**100.0**

제35회 시험은 박스형 문제 11개, 사례 문제 17개, 부정형(틀린 것은?) 문제 16개가 출제되었다. 긍정형 문제 출제가 예전보다 줄어든 것은 조금 도움이 되었을 것이다. 그러나 박스형 문제의 정답 찾기가 어려웠다는 점, 최근 판례를 응용한 문제들이 다수 출제되었다는 점 등 때문에 체감 난이도는 다소 높았다고 생각한다. 내가 아는 문제만을 풀겠다는 생각으로 접근하였다면 26문제 정도는 충분히 맞힐 수 있었던 시험이었다. 조문과 이론, 판례의 출제비중은 이론 출제가 많이 줄었고, 판례 비중이 여전히 높았다. 지엽적인 판례 출제비중이 높았는데, 이 부분은 앞으로도 대비하기가 어려울 것이다.

앞으로의 시험문제의 난이도는 올해 시험보다 많이 낮아질 것으로 생각하진 않는다. 따라서 합격을 위해서는 정확한 수험방법으로 시험에 접근하여야 한다. 제36회 시험을 준비하는 수험생들은 처음 공부할 때부터 자주 출제되고 확실하게 맞출 수 있는 문제를 집중적으로 외우는 습관을 들여야 한다. 공인중개사 시험은 절대평가이고, 80점 이상의 점수는 필요하지 않다는 점에 포인트를 두고 내가 맞힐 수 있는 주제에 대하여 중점을 두고 공부하면서 정확성을 높이면 합격에는 큰 문제가 없을 것이다.

공인중개사 과목별 최근 5개년 출제경향분석

공인중개사법·중개실무

구 분		제31회	제32회	제33회	제34회	제35회	총 계	비율(%)
공인중개사법령	총 설	1	1	2	2		6	3.0
	공인중개사제도	1		2	1	1	5	2.5
	중개사무소 개설등록 및 결격사유 등	2	3	2	3	2	12	6.0
	중개사무소 등 중개업무제도	10	5	1		3	19	9.5
	중개계약 및 부동산거래정보망	3	1	4	1	2	11	5.5
	개업공인중개사 등의 업무상 의무	4	5	1	9	3	22	11.0
	중개보수 등	2		3	1	1	7	3.5
	공인중개사협회 및 보칙		2	2	2	3	9	4.5
	지도·감독 및 벌칙	4	6	4	4	3	21	10.5
	법령 통합문제	2	4	1	1	2	10	5.0
	소 계	**29**	**27**	**22**	**24**	**20**	**122**	**61.0**
부동산 거래신고 등에 관한 법령	부동산거래신고제	2	4	2	3	4	15	7.5
	외국인 등의 부동산 등 취득에 관한 특례	1	1	2	1	1	6	3.0
	토지거래허가제	2	3	5	3	2	15	7.5
	법령 통합문제							
	소 계	**5**	**8**	**9**	**7**	**7**	**36**	**18.0**
중개실무	중개실무 총설 및 중개의뢰접수			4			4	2.0
	중개대상물의 조사·확인의무	1	1	3	3	3	11	5.5
	중개영업활동							
	거래계약체결 및 개별적 중개실무	3	3		4	5	15	7.5
	경매·공매 및 매수신청대리인 등록	2	1	2	2	2	9	4.5
	법령 통합문제					3	3	1.5
	소 계	**6**	**5**	**9**	**9**	**13**	**42**	**21.0**
총 계		**40**	**40**	**40**	**40**	**40**	**200**	**100.0**

제35회 시험의 전체적인 난이도는 제34회 시험과 비슷한 수준으로 출제되었다고 볼 수 있다.
특이한 점은 제1편 공인중개사법령에서 20문제, 제2편 부동산 거래신고 등에 관한 법령에서 7문제, 제3편 중개실무에서 13문제가 출제되어 2편과 3편의 중개실무에 해당하는 분야의 비중이 예년과 달리 매우 높게 출제되었다는 점이다. 그리고 시험범위를 벗어난 민법 및 민사특별법, 집합건물의 소유 및 관리에 관한 법률 분야에서 문제가 출제되어 체감 난이도를 높였다.
최근 제31회부터 제35회까지의 출제경향을 분석해 보면, 내년 제36회 시험도 유사한 범위와 유형의 문제들이 계속해서 출제될 것으로 예상된다. 따라서, 수험생 여러분께서 난도가 높은 사례형 또는 박스형 종합 문제를 해결하기 위해서는 기본서를 중심으로 폭넓은 이해와 체계를 먼저 잡고 문제를 접해야 할 것이다.
특히 공인중개사법을 고득점 전략 과목으로 선택하여 합격 전략을 세운 수험생이라면 반드시 이해와 암기를 병행하는 반복적 학습이 요구된다 할 것이다.

부동산공법

구 분	제31회	제32회	제33회	제34회	제35회	총 계	비율(%)
국토의 계획 및 이용에 관한 법률	12	12	12	12	12	60	30.0
도시개발법	6	6	6	6	6	30	15.0
도시 및 주거환경정비법	6	6	6	6	6	30	15.0
건축법	7	7	7	7	7	35	17.5
주택법	7	7	7	7	7	35	17.5
농지법	2	2	2	2	2	10	5.0
총 계	40	40	40	40	40	200	100.0

이번 제35회 부동산공법은 일부 법률에서 매우 지엽적인 문제가 출제되어 어려웠다.

서술형 문제가 20문제, 단답형 문제가 12문제, 박스형 문제가 8문제(괄호 넣기 문제가 3문제)로 출제되었다.

각 법률별로 국토의 계획 및 이용에 관한 법률(긍정형 7문제, 부정형 4문제, 박스형 1문제), 도시개발법(긍정형 3문제, 부정형 3문제, 박스형 1문제, 박스형 문제 중 1문제는 계산문제), 도시 및 주거환경정비법(긍정형 2문제, 부정형 2문제, 박스형 2문제), 주택법(긍정형 1문제, 부정형 4문제, 박스형 2문제), 건축법(긍정형 3문제, 부정형 3문제, 박스형 1문제, 박스형 문제 중 1문제는 계산문제), 농지법(긍정형 0문제, 부정형 1문제, 박스형 1문제)으로 구성되어 출제되었다.

전체적으로 보면 전혀 풀 수 없는 극상 문제가 14문제, 상 4문제, 중 10문제, 하 12문제, 긍정형 21문제와 부정형 19문제의 비율로 출제되었다. 출제경향의 변화는 전혀 손을 댈 수 없는 상 난이도의 문제가 14문제나 출제되어 전체적인 난이도는 많이 상승했으며, 어려운 14문제를 패스하고 수업시간에 강조한 중요 논점인 26문제 중 중·하급 문제인 22문제에 집중했다면 22~26개 정도의 합격점수가 가능하도록 출제된 문제였다.

공인중개사 과목별 최근 5개년 출제경향분석

부동산공시법령

구 분		제31회	제32회	제33회	제34회	제35회	총 계	비율(%)
공간정보의 구축 및 관리 등에 관한 법률	지적제도 총칙							0.0
	토지의 등록	1	4	2	3	5	15	12.0
	지적공부	4	4	5	2	3	18	15.2
	토지의 이동 및 지적정리	5	1	4	4	4	18	15.2
	지적측량	2	3	1	3		9	7.6
	소 계	**12**	**12**	**12**	**12**	**12**	**60**	**50.0**
부동산등기법	등기제도 총칙							0.0
	등기의 기관과 설비		1	1			2	1.7
	등기절차 총론	4	3	4	4	2	17	14.3
	각종의 등기절차(I)	6	4	3	4	3	20	16.7
	각종의 등기절차(II)	2	4	4	4	7	21	17.3
	소 계	**12**	**12**	**12**	**12**	**12**	**60**	**50.0**
총 계		**24**	**24**	**24**	**24**	**24**	**120**	**100.0**

이번 제35회 시험에서 '공간정보의 구축 및 관리에 관한 법률'은 비교적 쉽게 출제되었고, '부동산등기법'은 어렵게 출제되었다.

먼저 공간정보의 구축 및 관리 등에 관한 법률의 경우, 항상 반복 출제되던 학습테마인 토지의 등록, 지적공부, 토지의 이동에서 대부분의 문제가 평이하게 출제되었다. 다만, 분할지역의 면적결정방법, 축척변경의 확정공고 사항 등을 물은 문제들은 수험생들이 풀 수 없는 변별력 없는 문제들이었다.

한편, 항상 높은 난이도를 유지해 오던 부동산등기법은 이번에도 지금까지 한 번도 출제되지 않았던 유형의 변별력 없는 문제들이 절반 가까이 출제되었는데, 지역권에 관한 등기사항, 환매특약등기, 공동저당에 관한 내용, 관공서의 촉탁등기에 관련된 문제들이 여기에 해당한다. 그리고 나머지 절반 이상은 늘 반복하여 출제되던 주요 테마를 다룬 문제들로 채워졌다.

부동산세법

구 분		제31회	제32회	제33회	제34회	제35회	총 계	비율(%)
조세총론		1	2	2	2	2	9	11.25
지방세	취득세	1.5	2	2	2	3	10.5	13.125
	등록면허세	2.5	1	1	2		6.5	8.125
	재산세	3	2.5	2	2	3	12.5	15.625
	지방소득세							0.0
	지역자원시설세	1					1	1.25
국 세	종합부동산세	1	2.5	2	2	2	9.5	11.875
	양도소득세	5	6	5	5	5	26	32.5
	종합소득세	1		2	1	1	5	6.25
총 계		16	16	16	16	16	80	100.0

제35회 공인중개사 시험에서 부동산세법은 난이도를 극상급 3문제, 상급 2문제, 중급 7문제, 하급 4문제로 구분하여 출제하였다. 난이도 극상급 문제는 시험장에서 풀기에 어려운 문제였으며, 중급인 문제와 하급인 문제를 풀기에는 별 어려움이 없는 구성이었다.

최근 출제 경향인 기본 개념을 정확하게 이해한 수험생은 쉽게 정답을 찾을 수 있는 문제를 출제하였다. 여기에 합격생 수를 조정하기 위해 틀리라고 낸 난이도 극상급의 문제를 출제하였다. 실제 시험장에서 난이도 극상급 문제를 통과한 후 난이도 중급과 하급에 해당하는 문제를 푸는 능력이 필요한 시험이었다.

최근의 출제경향은 세법에 대한 기본적인 내용을 정확하게 이해하고 있는지를 확인하는 쪽으로 바뀌고 있다. 물론 문제 지문을 구성할 때 구색을 맞추기 위해 지엽적인 내용을 출제하는 경우도 있지만 세법의 기본 개념을 정확히 이해하였다면 정답을 찾을 때에는 별 어려움이 없도록 출제하고 있다.

앞으로의 수험전략은 정확한 이해를 바탕으로 주어진 시간 내에 다양한 문제를 풀어 가는 능력을 키우는 것이다. 만점보다는 합격 점수를 확보하는 전략이 절대적으로 필요하다.

박문각 공인중개사

CONTENTS

이 책의 차례

01 부동산학개론 … 10

02 민법 · 민사특별법 … 36

03 공인중개사법 · 중개실무 … 55

04 부동산공법 … 79

05 부동산공시법령 … 103

06 부동산세법 … 115

부동산학개론

시 / 험 / 총 / 평

제35회 부동산학개론 시험은 중상 정도의 난이도로 출제되었다. 앞부분에 어려운 문제를 집중적으로 배치하고 지엽적인 곳에서 정답을 주는 등 의도적으로 부동산학개론의 난이도를 올리려고 하는 의도가 보였다.
이론문제는 상(10문항), 중(5문항), 하(16문항)의 난이도로, 계산문제는 상(2문항), 중하(5문항), 하(2문항)의 난이도로 구성되었다. 계산문제는 총 9문제가 출제되었는데 그중 7문제는 충분히 풀 수 있는 전형적인 패턴의 문제가 출제되어 계산문제를 준비한 수험생에게 유리한 시험이었고, 공법 4문제, 지적법 1문제, 세법 1문제 등이 출제되어 동차준비 수험생에게 유리한 시험이었다고 볼 수 있다.

01 토지의 특성에 관한 설명으로 옳은 것은?

기본서 p.62~75

① 부동성으로 인해 외부효과가 발생하지 않는다.
② 개별성으로 인해 거래사례를 통한 지가 산정이 쉽다.
③ 부증성으로 인해 토지의 물리적 공급은 단기적으로 탄력적이다.
④ 용도의 다양성으로 인해 토지의 경제적 공급은 증가할 수 있다.
⑤ 영속성으로 인해 부동산활동에서 토지는 감가상각을 고려하여야 한다.

해설 ④ 옳은 지문 : 경제적 공급 = 용도적 공급
① 부동성으로 인해 외부효과가 발생한다.
② 쉽다. ⇨ 어렵다.
③ 탄력적이다. ⇨ 완전비탄력적이다.
⑤ 감가상각을 고려하여야 한다. ⇨ 감가상각을 고려하지 않는다.

02 토지에 관련된 용어이다. ( )에 들어갈 내용으로 옳은 것은?

기본서 p.44, 45, 57

- (㉠) : 지적제도의 용어로서, 토지의 주된 용도에 따라 토지의 종류를 구분하여 지적공부에 등록한 것
- (㉡) : 지가공시제도의 용어로서, 토지에 건물이나 그 밖의 정착물이 없고 지상권 등 토지의 사용·수익을 제한하는 사법상의 권리가 설정되어 있지 아니한 토지

① ㉠ : 필지, ㉡ : 소지
② ㉠ : 지목, ㉡ : 나지
③ ㉠ : 필지, ㉡ : 나지
④ ㉠ : 지목, ㉡ : 나대지
⑤ ㉠ : 필지, ㉡ : 나대지

해설 • ㉠의 주어진 지문은 '지목'에 대한 용어의 정의이다. 그동안 기출은 모두 토지의 용어를 물었기 때문에 지적제도가 나오면 필지로 생각한 수험생이 많았을 것이다.

> "지목"이란 토지의 주된 용도에 따라 토지의 종류를 구분하여 지적공부에 등록한 것을 말한다. 토지는 주된 용도에 따라 하나의 필지에 하나의 이름을 붙이는데 이를 지목이라고 하며 현재 28개의 지목으로 분류된다.

• ㉡의 경우 나대지는 나지이면서 동시에 대지인 경우를 말하며, 주어진 내용은 나지에 대한 설명이다.

03

다음은 용도별 건축물의 종류에 관한 '건축법 시행령' 규정의 일부이다. ( )에 들어갈 내용으로 옳은 것은?

기본서 p.52

> • 다세대주택: 주택으로 쓰는 1개 동의 (㉠) 합계가 660제곱미터 이하이고, 층수가 (㉡) 이하인 주택(2개 이상의 동을 지하주차장으로 연결하는 경우에는 각각의 동으로 본다)

① ㉠: 건축면적, ㉡: 4층
② ㉠: 건축면적, ㉡: 4개 층
③ ㉠: 바닥면적, ㉡: 4층
④ ㉠: 바닥면적, ㉡: 4개 층
⑤ ㉠: 대지면적, ㉡: 4층

해설 ≫ 공동주택의 구분

> (1) **아파트**: 주택으로 쓰는 층수가 5개 층 이상인 주택
> (2) **연립주택**: 주택으로 쓰는 1개 동의 바닥면적 합계가 660제곱미터를 초과하고, 층수가 4개 층 이하인 주택
> (3) **다세대주택**: 주택으로 쓰는 1개 동의 바닥면적 합계가 660제곱미터 이하이고, 층수가 4개 층 이하인 주택
> (4) **기숙사**(건축법)
> ① 일반기숙사: 학교 또는 공장 등의 학생 또는 종업원 등을 위하여 사용하는 것으로서 해당 기숙사의 공동취사시설 이용 세대 수가 전체 세대 수의 50퍼센트 이상인 것(「교육기본법」에 따른 학생복지주택을 포함한다)
> ② 임대형기숙사: 공공주택사업자 또는 민간임대사업자가 임대사업에 사용하는 것으로서 임대 목적으로 제공하는 실이 20실 이상이고 해당 기숙사의 공동취사시설 이용 세대 수가 전체 세대 수의 50퍼센트 이상인 것
> ③ 기숙사는 주택법상으로는 준주택이고, 건축법상으로는 공동주택이다.

Answer

01. ④ 02. ② 03. ④

04 법령에 의해 등기의 방법으로 소유권을 공시할 수 있는 물건을 모두 고른 것은?

㉠ 총톤수 25톤인 기선(機船) ㉡ 적재용량 25톤인 덤프트럭 ㉢ 최대 이륙중량 400톤인 항공기 ㉣ 토지에 부착된 한 그루의 수목

① ㉠　② ㉠, ㉣　③ ㉢, ㉣
④ ㉠, ㉡, ㉢　⑤ ㉠, ㉡, ㉢, ㉣

해설 ① 20톤이 넘는 선박은 등기가 필요하므로, ㉠만 등기가 필요한 물건에 해당한다.

05 **A광역시장은 관할구역 중 농지 및 야산으로 형성된 일단의 지역에 대해 도시개발법령상 도시개발사업**(개발 후 용도: 주거용 및 상업용 택지)**을 추진하면서 시행방식을 검토하고 있다. 수용방식**(예정사업시행자: 지방공사)**과 환지방식**(예정사업시행자: 도시개발사업조합)**을 비교한 설명으로 틀린 것은?** (단, 보상금은 현금으로 지급하며, 주어진 조건에 한함)

기본서 p.463~469

① 수용방식은 환지방식에 비해 세금감면을 받기 위한 대토(代土)로 인해 도시개발구역 밖의 지가를 상승시킬 가능성이 크다.
② 수용방식은 환지방식에 비해 사업시행자의 개발토지(조성토지) 매각부담이 크다.
③ 사업시행자의 사업비부담에 있어 환지방식은 수용방식에 비해 작다.
④ 사업으로 인해 개발이익이 발생하는 경우, 환지방식은 수용방식에 비해 종전 토지소유자에게 귀속될 가능성이 크다.
⑤ 개발절차상 환지방식은 토지소유자의 동의를 받아야 하는 단계(횟수)가 수용방식에 비해 적어 절차가 간단하다.

해설 ⑤ 개발절차상 환지방식은 토지소유자의 동의를 받아야 하는 단계(횟수)가 수용방식에 비해 많아서 절차가 복잡하다.

06 부동산개발사업에 관한 설명으로 틀린 것은?

기본서 p.462~475

① 부동산개발의 타당성분석 과정에서 시장분석을 수행하기 위해서는 먼저 시장지역을 설정하여야 한다.
② 부동산개발업의 관리 및 육성에 관한 법령상 건축물을 리모델링 또는 용도변경하는 행위(다만, 시공을 담당하는 행위는 제외한다)는 부동산개발에 포함된다.
③ 민간투자사업에 있어 민간사업자가 자금을 조달하여 시설을 건설하고 일정기간 소유 및 운영을 한 후 국가 또는 지방자치단체에게 시설의 소유권을 이전하는 방식은 BOT(build-operate-transfer) 방식이다.
④ 부동산개발의 유형을 신개발방식과 재개발방식으로 구분하는 경우, 도시 및 주거환경정비법령상 재건축사업은 재개발방식에 속한다.
⑤ 개발사업의 방식 중 사업위탁방식과 신탁개발방식의 공통점은 토지소유자가 개발사업의 전문성이 있는 제3자에게 토지소유권을 이전하고 사업을 위탁하는 점이다.

해설 ⑤ 개발사업의 방식 중 사업위탁방식과 신탁개발방식의 차이점은 신탁개발방식은 토지소유자가 신탁회사에게 소유권을 이전하고 개발사업을 맡기지만, 사업위탁방식은 개발사업의 전문성이 있는 제3자에게 사업을 맡기지만 소유권을 이전하지는 않는다는 점이다.

07 부동산마케팅에서 4P 마케팅믹스(Marketing Mix) 전략의 구성요소를 모두 고른 것은?

기본서 p.494~495

㉠ Price(가격)	㉡ Product(제품)
㉢ Place(유통경로)	㉣ Positioning(차별화)
㉤ Promotion(판매촉진)	㉥ Partnership(동반자관계)

① ㉠, ㉡, ㉢, ㉣
② ㉠, ㉡, ㉢, ㉤
③ ㉡, ㉢, ㉤, ㉥
④ ㉡, ㉣, ㉤, ㉥
⑤ ㉢, ㉣, ㉤, ㉥

해설 ② ㉠, ㉡, ㉢, ㉤이 4P 마케팅 믹스 전략의 구성요소에 해당한다.
마케팅믹스는 4P를 구성요소로 하며, 4P mix 전략이란 제품(Product), 판매촉진(Promotion), 가격(Price), 유통경로(Place)의 제 측면에서 차별화를 도모하는 전략이다. 주로 상업용 부동산의 마케팅에서 사용된다.

Answer

04. ① 05. ⑤ 06. ⑤ 07. ②

08

A지역 단독주택시장의 균형변화에 관한 설명으로 옳은 것은? (단, 수요곡선은 우하향하고, 공급곡선은 우상향하며, 다른 조건은 동일함) 기본서 p.98~102

① 수요와 공급이 모두 증가하고 수요의 증가폭과 공급의 증가폭이 동일한 경우, 균형거래량은 감소한다.

② 수요가 증가하고 공급이 감소하는데 수요의 증가폭보다 공급의 감소폭이 더 큰 경우, 균형가격은 하락한다.

③ 수요가 감소하고 공급이 증가하는데 수요의 감소폭이 공급의 증가폭보다 더 큰 경우, 균형가격은 상승한다.

④ 수요와 공급이 모두 감소하고 수요의 감소폭보다 공급의 감소폭이 더 큰 경우, 균형거래량은 감소한다.

⑤ 수요가 증가하고 공급이 감소하는데 수요의 증가폭과 공급의 감소폭이 동일한 경우, 균형가격은 하락한다.

해설 ① 균형거래량은 감소한다. ⇨ 균형거래량은 증가한다.
② 균형가격은 하락한다. ⇨ 균형가격은 상승한다.
③ 균형가격은 상승한다. ⇨ 균형가격은 하락한다.
⑤ 균형가격은 하락한다. ⇨ 균형가격은 상승한다.

09

A지역 소형아파트 수요의 가격탄력성은 0.9이고, 오피스텔 가격에 대한 소형아파트 수요의 교차탄력성은 0.5이다. A지역 소형아파트 가격이 2% 상승하고 동시에 A지역 오피스텔 가격이 5% 상승할 때, A지역 소형아파트 수요량의 전체 변화율은? (단, 소형아파트와 오피스텔은 모두 정상재로서 서로 대체적인 관계이고, 수요의 가격탄력성은 절댓값으로 나타내며, 다른 조건은 동일함) 기본서 p.120~127

① 0.7% ② 1.8% ③ 2.5% ④ 3.5% ⑤ 4.3%

해설 ① A지역 소형아파트 수요량의 전체 변화율은 0.7%이다.

(1) 공식을 적는다.	$\frac{수}{가} = 0.9$ $\frac{수}{교} = 0.5$
(2) 분모값을 적용한다.	$\frac{수}{가\ +2\%} = 0.9$ $\frac{수}{교\ +5\%} = 0.5$
(3) 가격탄력도와 교차탄력도의 분자값을 구한다. 가격탄력도는 항상 분모와 분자의 값은 항상 반대를 적용한다. 교차탄력도는 값이 (+)이면 분자와 분모의 방향성이 동일한 것이고, 값이 (−)이면 분자와 분모는 반대인 것이다.	$\frac{수\ -1.8\%}{가\ +2\%} = 0.9$ $\frac{수\ +2.5\%}{교\ +5} = 0.5$
전체 수요량의 변화율은 −1.8% + 2.5% = +0.7%	

10

아파트시장에서 균형가격을 상승시키는 요인은 모두 몇 개인가? (단, 아파트는 정상재로서 수요곡선은 우하향하고, 공급곡선은 우상향하며, 다른 조건은 동일함) 기본서 p.87~97

• 가구의 실질소득 증가	• 아파트에 대한 선호도 감소
• 아파트 건축자재 가격의 상승	• 아파트 담보대출 이자율의 상승

① 0개 ② 1개 ③ 2개
④ 3개 ⑤ 4개

해설 ③ 가격을 상승시키는 요인은 '가구의 실질소득 증가'와 '아파트 건축자재 가격의 상승'으로 2개이다.

- 가구의 실질소득 증가 ⇨ 수요증가 ⇨ 가격상승
- 아파트에 대한 선호도 감소 ⇨ 수요감소 ⇨ 가격하락
- 아파트 건축자재 가격의 상승 ⇨ 공급감소 ⇨ 가격상승
- 아파트 담보대출 이자율의 상승 ⇨ 수요감소 ⇨ 가격하락

11

A지역 오피스텔시장에서 수요함수는 $Q_{D1}=900-P$, 공급함수는 $Q_S=100+\frac{1}{4}P$이며, 균형상태에 있었다. 이 시장에서 수요함수가 $Q_{D2}=1{,}500-\frac{3}{2}P$로 변화하였다면, 균형가격의 변화(㉠)와 균형거래량의 변화(㉡)는? (단, P는 가격, Q_{D1}과 Q_{D2}는 수요량, Q_S는 공급량, X축은 수량, Y축은 가격을 나타내고, 가격과 수량의 단위는 무시하며, 주어진 조건에 한함) 기본서 p.103~107

① ㉠: 160 상승, ㉡: 변화 없음 ② ㉠: 160 상승, ㉡: 40 증가
③ ㉠: 200 상승, ㉡: 40 감소 ④ ㉠: 200 상승, ㉡: 변화 없음
⑤ ㉠: 200 상승, ㉡: 40 증가

해설 ② 균형가격은 160 상승하고, 균형거래량은 40 증가한다.

기본공식	공급함수 $Q=100+\frac{1}{4}P$ →	$Q=100+\frac{1}{4}P$
	수요함수 $Q=900-P$ →	$Q=1{,}500-\frac{3}{2}P$
연립방정식 풀기	$100+0.25P=900-P$ $1.25P=800$ $P=640,\ Q=260$	$100+0.25P=1{,}500-1.5P$ $1.75P=1{,}400$ $P=800,\ Q=300$
	가격은 160 상승, 거래량은 40 증가	

Answer
08. ④ 09. ① 10. ③ 11. ②

12 저량(stock)의 경제변수에 해당하는 것은?

기본서 p.85, 233

① 주택재고 ② 가계소득 ③ 주택거래량
④ 임대료 수입 ⑤ 신규주택 공급량

해설 ① 저량의 경제변수에 해당하는 것은 '주택재고'이다.

유 량	변화분	신규	장기공급	소득 월급 GDP	거래량 발행량	기간	임료
저 량	존재량	재고	단기공급	재산 자산 국부	인구수 통화량 보유고	시점	가격

13 다음에 해당하는 도시 및 주거환경정비법상의 정비사업은?

기본서 p.462, 474

> 도시저소득 주민이 집단거주하는 지역으로서 정비기반시설이 극히 열악하고 노후·불량건축물이 과도하게 밀집한 지역의 주거환경을 개선하거나 단독주택 및 다세대주택이 밀집한 지역에서 정비기반시설과 공동이용시설 확충을 통하여 주거환경을 보전·정비·개량하기 위한 사업

① 자율주택정비사업 ② 소규모재개발사업 ③ 가로주택정비사업
④ 소규모재건축사업 ⑤ 주거환경개선사업

해설 ⑤ 주거환경개선사업에 대한 설명이다.

1. **주거환경개선사업**: 도시저소득 주민이 집단거주하는 지역으로서 정비기반시설이 극히 열악하고 노후·불량건축물이 과도하게 밀집한 지역의 주거환경을 개선하거나 단독주택 및 다세대주택이 밀집한 지역에서 정비기반시설과 공동이용시설 확충을 통하여 주거환경을 보전·정비·개량하기 위한 사업을 말한다.
2. **재개발사업**: 정비기반시설이 열악하고 노후·불량건축물이 밀집한 지역에서 주거환경을 개선하거나 상업지역·공업지역 등에서 도시기능의 회복 및 상권활성화 등을 위하여 도시환경을 개선하기 위한 사업을 말한다. 이 경우 공적 주체가 일정비율 이상을 공공임대주택 등으로 건설·공급하는 재개발사업을 "공공재개발사업"이라 한다.
3. **재건축사업**: 정비기반시설은 양호하나 노후·불량건축물에 해당하는 공동주택이 밀집한 지역에서 주거환경을 개선하기 위한 사업을 말한다. 이 경우 공적 주체가 일정세대수 이상을 공급하면 "공공재건축사업"이라 한다.

14

컨버스(P. Converse)**의 분기점 모형에 기초할 때, A시와 B시의 상권 경계지점은 A시로부터 얼마만큼 떨어진 지점인가?** (단, 주어진 조건에 한함) 기본서 p.171, 177

- A시와 B시는 동일 직선상에 위치
- A시와 B시 사이의 직선거리: 45km
- A시 인구: 84만명
- B시 인구: 21만명

① 15km ② 20km ③ 25km
④ 30km ⑤ 35km

해설 (1) 문제를 그림의 형태로 변환한다.

(2) 경계지점은 작은 도시에서 가깝게 형성된다. 따라서 전체 45km의 중간인 22.5km보다는 더 오른편에 위치한다. 즉 보기 지문 중에서 '① 15km ② 20km는 정답이 아니다.

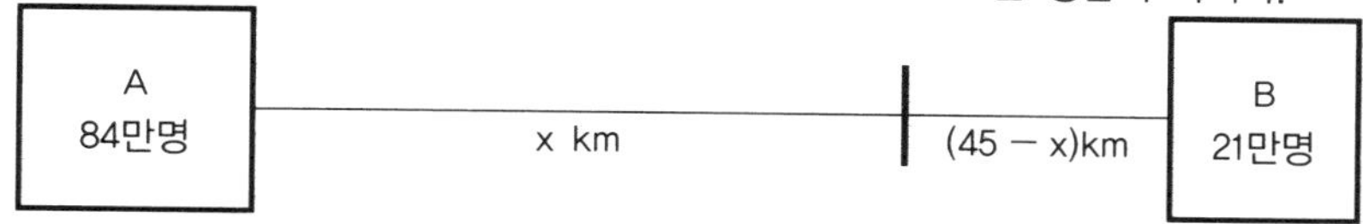

(3) 경계지점은 양쪽의 도시에서 당기는 유인력의 크기가 동일한 지점이다.
따라서 $\frac{840,000}{x^2} = \frac{210,000}{(45-x)^2}$의 관계가 성립한다. 이제 남은 25, 30, 35를 각각 대입해보면 30 대입시 등호가 성립하므로 정답은 30km 지점이다.

Answer
12. ① 13. ⑤ 14. ④

15 입지 및 도시공간구조 이론에 관한 설명으로 틀린 것은? 기본서 p.164, 168~173, 190~192

① 호이트(H. Hoyt)의 선형이론은 단핵의 중심지를 가진 동심원 도시구조를 기본으로 하고 있다는 점에서 동심원이론을 발전시킨 것이라 할 수 있다.

② 크리스탈러(W. Christaller)는 중심성의 크기를 기초로 중심지가 고차중심지와 저차중심지로 구분되는 동심원이론을 설명했다.

③ 해리스(C. Harris)와 울만(E. Ullman)은 도시 내부의 토지이용이 단일한 중심의 주위에 형성되는 것이 아니라 몇 개의 핵심지역 주위에 형성된다는 점을 강조하면서, 도시공간구조가 다핵심구조를 가질 수 있다고 보았다.

④ 베버(A. Weber)는 운송비의 관점에서 특정 공장이 원료지향적인지 또는 시장지향적인지를 판단하기 위해 원료지수(material index)개념을 사용했다.

⑤ 허프(D. Huff)모형의 공간(거리)마찰계수는 도로환경, 지형, 주행수단 등 다양한 요인에 영향을 받을 수 있는 값이며, 이 모형을 적용하려면 공간(거리)마찰계수가 정해져야 한다.

해설 ② 크리스탈러(W. Christaller)의 이론은 중심성의 크기를 기초로 중심지가 고차중심지와 저차중심지를 구분하는 다핵이론이다. 동심원이론은 단핵이론이므로 크리스탈러의 이론으로 동심원이론을 설명할 수는 없다.

16 다음 설명에 모두 해당하는 것은? 기본서 p.162, 163, 183

- 토지의 비옥도가 동일하더라도 중심도시와의 접근성 차이에 의해 지대가 차별적으로 나타난다.
- 한계지대곡선은 작물의 종류나 농업의 유형에 따라 그 기울기가 달라질 수 있으며, 이 곡선의 기울기에 따라 집약적 농업과 조방적 농업으로 구분된다.
- 가장 높은 지대를 지불하는 농업적 토지이용에 토지가 할당된다.

① 마샬(A. Marshall)의 준지대설

② 헤이그(R. Haig)의 마찰비용이론

③ 튀넨(J. H. von Thünen)의 위치지대설

④ 마르크스(K. Marx)의 절대지대설

⑤ 파레토(V. Pareto)의 경제지대론

해설 ③ 튀넨(J. H. von Thünen)의 위치지대설에 대한 설명이다.

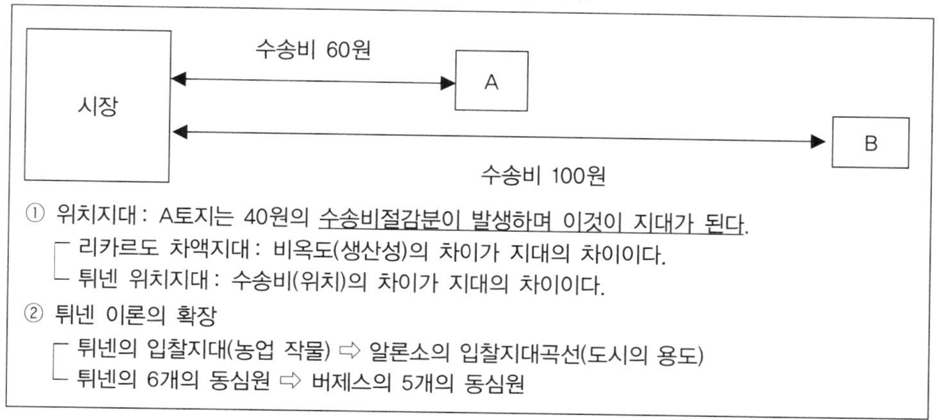

17

지하철 역사가 개발된다는 다음과 같은 정보가 있을 때, 합리적인 투자자가 최대한 지불할 수 있는 이 정보의 현재가치는? (단, 주어진 조건에 한함) 기본서 p.143~144

- 지하철 역사 개발예정지 인근에 A토지가 있다.
- 1년 후 지하철 역사가 개발될 가능성은 60%로 알려져 있다.
- 1년 후 지하철 역사가 개발되면 A토지의 가격은 14억 3천만원, 개발되지 않으면 8억 8천만원으로 예상된다.
- 투자자의 요구수익률(할인율)은 연 10%다.

① 1억 6천만원 ② 1억 8천만원 ③ 2억원
④ 2억 2천만원 ⑤ 2억 4천만원

해설 ③ 정보의 현재가치는 2억원이다.

- 개발정보의 현재가치 $= \dfrac{\text{개발될 때와 개발되지 않을 때의 차액} \times \text{개발 안 될 가능성}}{(1 + \text{할인율})^{\text{1년 후면 1, 2년 후면 2를 적용}}}$

$= \dfrac{\text{차액}(14.3 - 8.8\text{억원} = 5.5\text{억원}) \times \text{개발 안 될 가능성}(0.4)}{(1 + 0.1)^1} = 2\text{억원}$

Answer
15. ② 16. ③ 17. ③

18 부동산정책에 관한 내용으로 틀린 것은? 기본서 p.213

① 국토의 계획 및 이용에 관한 법령상 지구단위계획은 도시·군계획 수립 대상지역의 일부에 대하여 토지 이용을 합리화하고 그 기능을 증진시키며 미관을 개선하고 양호한 환경을 확보하며, 그 지역을 체계적·계획적으로 관리하기 위하여 수립하는 도시·군기본계획을 말한다.

② 지역지구제는 토지이용에 수반되는 부(−)의 외부효과를 제거하거나 완화시킬 목적으로 활용된다.

③ 개발권양도제(TDR)는 토지이용규제로 인해 개발행위의 제약을 받는 토지소유자의 재산적 손실을 보전해 주는 수단으로 활용될 수 있으며, 법령상 우리나라에서는 시행되고 있지 않다.

④ 부동산 가격공시제도에 따라 국토교통부장관은 일단의 토지 중에서 선정한 표준지에 대하여 매년 공시기준일 현재의 단위면적당 적정가격을 조사·평가하여 공시하여야 한다.

⑤ 토지비축제는 정부가 토지를 매입한 후 보유하고 있다가 적절한 때에 이를 매각하거나 공공용으로 사용하는 제도를 말한다.

해설 ① 지구단위계획은 도시·군관리계획이다.

도시·군관리계획이란 특별시·광역시·특별자치시·특별자치도·시 또는 군의 개발·정비 및 보전을 위하여 수립하는 다음의 계획을 말한다.

1. 용도지역·용도지구의 지정 또는 변경에 관한 계획
2. 개발제한구역, 도시자연공원구역, 시가화조정구역, 수산자원보호구역의 지정 또는 변경에 관한 계획
3. 기반시설의 설치·정비 또는 개량에 관한 계획
4. 도시개발사업이나 정비사업에 관한 계획
5. 지구단위계획구역의 지정 또는 변경에 관한 계획과 지구단위계획
6. 도시혁신구역의 지정 또는 변경에 관한 계획과 도시혁신계획
7. 복합용도구역의 지정 또는 변경에 관한 계획과 복합용도계획
8. 도시·군계획시설입체복합구역의 지정 또는 변경에 관한 계획

19 **공공주택 특별법령상 공공임대주택에 관한 내용으로 옳은 것은 모두 몇 개인가?** (단, 주택도시기금은 「주택도시기금법」에 따른 주택도시기금을 말함) 기본서 p.244

- 통합공공임대주택: 국가나 지방자치단체의 재정이나 주택도시기금의 자금을 지원받아 최저소득 계층, 저소득 서민, 젊은 층 및 장애인·국가유공자 등 사회 취약계층 등의 주거안정을 목적으로 공급하는 공공임대주택
- 행복주택: 국가나 지방자치단체의 재정이나 주택도시기금의 자금을 지원받아 대학생, 사회초년생, 신혼부부 등 젊은 층의 주거안정을 목적으로 공급하는 공공임대주택
- 장기전세주택: 국가나 지방자치단체의 재정이나 주택도시기금의 자금을 지원받아 전세계약의 방식으로 공급하는 공공임대주택
- 분양전환공공임대주택: 일정 기간 임대 후 분양전환할 목적으로 공급하는 공공임대주택

① 0개　　② 1개　　③ 2개
④ 3개　　⑤ 4개

해설 ⑤ 모두 옳은 설명이다.

공공주택 특별법 시행령 제2조 【공공임대주택】의 종류

1. **영구임대주택**: 국가나 지방자치단체의 재정을 지원받아 최저소득 계층의 주거안정을 위하여 50년 이상 또는 영구적인 임대를 목적으로 공급하는 공공임대주택
2. **국민임대주택**: 국가나 지방자치단체의 재정이나 주택도시기금의 자금을 지원받아 저소득 서민의 주거안정을 위하여 30년 이상 장기간 임대를 목적으로 공급하는 공공임대주택
3. **행복주택**: 국가나 지방자치단체의 재정이나 주택도시기금의 자금을 지원받아 대학생, 사회초년생, 신혼부부 등 젊은 층의 주거안정을 목적으로 공급하는 공공임대주택
4. **통합공공임대주택**: 국가나 지방자치단체의 재정이나 주택도시기금의 자금을 지원받아 최저소득 계층, 저소득 서민, 젊은 층 및 장애인·국가유공자 등 사회 취약계층 등의 주거안정을 목적으로 공급하는 공공임대주택
5. **장기전세주택**: 국가나 지방자치단체의 재정이나 주택도시기금의 자금을 지원받아 전세계약의 방식으로 공급하는 공공임대주택
6. **분양전환공공임대주택**: 일정 기간 임대 후 분양전환할 목적으로 공급하는 공공임대주택
7. **기존주택등매입임대주택**: 국가나 지방자치단체의 재정이나 주택도시기금의 자금을 지원받아 기존주택을 매입하여 저소득층과 청년 및 신혼부부 등에게 공급하는 공공임대주택
8. **기존주택전세임대주택**: 국가나 지방자치단체의 재정이나 주택도시기금의 자금을 지원받아 기존주택을 임차하여 저소득층과 청년 및 신혼부부 등에게 전대(轉貸)하는 공공임대주택

Answer
18. ①　19. ⑤

20 부동산정책 중 금융규제에 해당하는 것은?

기본서 p.366

① 택지개발지구 지정
② 토지거래허가제 시행
③ 개발부담금의 부담률 인상
④ 분양가상한제의 적용 지역 확대
⑤ 총부채원리금상환비율(DSR) 강화

해설 ⑤ 총부채원리금상환비율(DSR)이란 차입자의 입장에서 매년 갚아야 할 주택담보대출 원리금과 기타대출원리금의 합산액이 연간 소득에서 차지하는 비중이 얼마인지를 나타내는 비율이다.
이 비율이 강화된다는 의미는 이 금융당국이 은행으로 하여금 차입자에게 돈을 적게 빌려주도록 금융규제를 한다는 의미이다.

≫ DSR(총부채원리금상환비율)과 DTI(총부채상환비율)의 구분

- DTI : $\frac{\text{주택담보대출 원리금상환액 + 기타대출 이자상환액}}{\text{연소득}}$
- DSR : $\frac{\text{주택담보대출 원리금상환액 + 기타대출 원리금상환액}}{\text{연소득}}$

21 주택법령상 주택의 유형과 내용에 관한 설명으로 틀린 것은?

기본서 p.53~54

① 도시형 생활주택은 「국토의 계획 및 이용에 관한 법률」에 따른 도시지역에 건설하여야 한다.
② 도시형 생활주택은 300세대 미만의 국민주택규모로 구성된다.
③ 토지임대부 분양주택의 경우, 토지의 소유권은 분양주택 건설사업을 시행하는 자가 가지고, 건축물 및 복리시설 등에 대한 소유권은 주택을 분양받은 자가 가진다.
④ 세대구분형 공동주택은 주택 내부 공간의 일부를 세대별로 구분하여 생활이 가능한 구조이어야 하며, 그 구분된 공간의 일부를 구분소유 할 수 있다.
⑤ 장수명 주택은 구조적으로 오랫동안 유지·관리될 수 있는 내구성을 갖추고, 입주자의 필요에 따라 내부 구조를 쉽게 변경할 수 있는 가변성과 수리 용이성 등이 우수한 주택을 말한다.

해설 ④ 세대구분형 공동주택이란 공동주택의 주택 내부 공간의 일부를 세대별로 구분하여 생활이 가능한 구조로 하되, 그 구분된 공간의 일부를 구분소유 할 수 없는 주택을 말한다.

22 부동산조세에 관한 설명으로 옳은 것을 모두 고른 것은?

기본서 p.256~260

> ㉠ 양도소득세의 중과는 부동산 보유자로 하여금 매각을 앞당기게 하는 동결효과(lock-in effect)를 발생시킬 수 있다.
> ㉡ 재산세와 종합부동산세의 과세기준일은 매년 6월 1일로 동일하다.
> ㉢ 취득세와 상속세는 취득단계에서 부과하는 지방세이다.
> ㉣ 증여세와 양도소득세는 처분단계에서 부과하는 국세이다.

① ㉡　　② ㉠, ㉢　　③ ㉡, ㉣
④ ㉠, ㉢, ㉣　　⑤ ㉠, ㉡, ㉢, ㉣

해설 ① ㉡이 옳은 지문
㉠ 매각을 앞당기게 하는 ⇨ 매각을 뒤로 미루게 하는
㉢ 지방세 ⇨ 국세
㉣ 증여세는 취득단계에서 부과하는 국세이다.

Answer
20. ⑤　21. ④　22. ①

23 다음 자료는 A부동산의 1년간 운영수지이다. A부동산의 총투자액은 6억원이며, 투자자는 총투자액의 40%를 은행에서 대출받았다. 이 경우 순소득승수(㉠)와 세전현금흐름승수(㉡)는? (단, 주어진 조건에 한함) 기본서 p.329~343

- 가능총소득(PGI): 7,000만원
- 공실손실상당액 및 대손충당금: 500만원
- 기타소득: 100만원
- 부채서비스액: 1,500만원
- 영업소득세: 500만원
- 수선유지비: 200만원
- 용역비: 100만원
- 재산세: 100만원
- 직원인건비: 200만원

① ㉠: 9.0, ㉡: 8.0　② ㉠: 9.0, ㉡: 9.0　③ ㉠: 9.0, ㉡: 10.0
④ ㉠: 10.0, ㉡: 8.0　⑤ ㉠: 10.0, ㉡: 9.0

해설 ④ 순소득승수는 10, 세전현금흐름승수는 8이다.

<table>
<tr><td colspan="2" rowspan="3">600
(총투자액)</td><td>70</td><td>가</td><td>공</td><td>4</td><td>: − 공실과 대손 + 기타소득</td></tr>
<tr><td>66</td><td>유</td><td>경</td><td>6</td><td>: 수선유지비 + 용역비 + 재산세 + 직원인건비</td></tr>
<tr><td>60</td><td>순</td><td>은</td><td>15</td><td>: 부채서비스액</td></tr>
<tr><td rowspan="2">240
(융자)</td><td rowspan="2">360
(지분)</td><td>45</td><td>전</td><td>세</td><td>5</td><td>: 영업소득세</td></tr>
<tr><td>40</td><td>후</td><td></td><td></td><td></td></tr>
</table>

- 순소득승수(㉠) = 총투자액(600) / 순영업소득(60) = 10
- 세전현금흐름승수(㉡) = 지분투자액(360) / 세전현금수지(45) = 8

24 다음은 시장전망에 따른 자산의 투자수익률을 합리적으로 예상한 결과이다. 이에 관한 설명으로 틀린 것은? (단, 주어진 조건에 한함) 기본서 p.345~358

시장 전망	발생 확률	예상수익률			
		자산 A	자산 B	자산 C	자산 D
낙관적	25%	6%	10%	9%	14%
정상적	50%	4%	4%	8%	8%
비관적	25%	2%	−2%	7%	2%
평균(기댓값)		4.0%	4.0%	8.0%	8.0%
표준편차		1.41%	4.24%	0.71%	4.24%

① 자산 A와 자산 B는 동일한 기대수익률을 가진다.
② 낙관적 시장전망에서는 자산 D의 수익률이 가장 높다.
③ 자산 C와 자산 D는 동일한 투자위험을 가진다.
④ 평균−분산 지배원리에 따르면 자산 C는 자산 A보다 선호된다.
⑤ 자산 A, B, C, D로 구성한 포트폴리오의 수익과 위험은 각 자산의 투자비중에 따라 달라진다.

해설 ③ 자산 C와 자산 D는 동일한 투자위험을 가진다. ⇨ 자산 C의 위험(0.71)이 자산 D의 위험(4.24)보다 작다.

시장 전망	발생 확률	예상수익률			
		자산 A	자산 B	자산 C	자산 D
낙관적	25%	6%	10%	9%	14%
정상적	50%	4%	4%	8%	8%
비관적	25%	2%	−2%	7%	2%
평균(기댓값)		4.0%	4.0%	8.0%	8.0%
표준편차(**투자위험**)		1.41%	4.24%	**0.71%**	**4.24%**

Answer
23. ④ 24. ③

25 부동산투자분석 기법에 관한 설명으로 틀린 것은?

기본서 p.321~325

① 순현재가치법과 내부수익률법은 화폐의 시간가치를 반영한 투자분석방법이다.
② 복수의 투자안을 비교할 때 투자금액의 차이가 큰 경우, 순현재가치법과 내부수익률법은 분석결과가 서로 다를 수 있다.
③ 하나의 투자안에 있어 수익성지수가 1보다 크면 순현재가치는 0보다 크다.
④ 투자자산의 현금흐름에 따라 복수의 내부수익률이 존재할 수 있다.
⑤ 내부수익률법에서는 현금흐름의 재투자율로 투자자의 요구수익률을 가정한다.

해설 ⑤ 내부수익률법에서는 내부수익률로 재투자한다고 가정한다.

순현재가치법이 내부수익률법보다 더 우수한 이유는,
첫째, 재투자수익률에 대한 가정이 더 합리적이고(순현가법은 요구수익률로 재투자한다고 가정하고, 내부수익률법에서는 내부수익률로 재투자한다고 가정한다),
둘째, 순현재가치법에서는 가치가산의 원리가 적용되며,
셋째, 순현재가치법은 부의 극대화를 판단할 수 있고,
넷째, 내부수익률법은 복수해나 무해가 나올 수 있는데 그럴 경우 순현재가치법으로 다시 분석을 해야 하기 때문이다.

26 토지세를 제외한 다른 모든 조세를 없애고 정부의 재정은 토지세만으로 충당하는 토지단일세를 주장한 학자는?

기본서 p.263

① 뢰쉬(A. Lösch)　② 레일리(W. Reilly)　③ 알론소(W. Alonso)
④ 헨리 조지(H. George)　⑤ 버제스(E. Burgess)

해설 ④ 토지단일세를 주장한 학자는 헨리 조지(H. George)이다.

≫ 헨리 조지의 토지단일세

공급의 탄력성이 큰 재화일수록 세금을 부과하면 시장에서 자원배분의 왜곡을 크게 만든다. 반대로 비탄력적인 재화일수록 자원배분의 왜곡이 작아지고 완전비탄력적이면 자원배분의 왜곡이 없는 것이다. 즉 완전비탄력적인 토지에 대한 보유세는 자원배분의 왜곡을 가져오지 않는다. 그래서 헨리 조지는 토지에서 나오는 지대수입을 100% 징세할 경우, 토지세 수입만으로 재정을 충당할 수 있다고 주장했다.

27

자본환원율에 관한 설명으로 틀린 것은? (단, 다른 조건은 동일함) 기본서 p.336~338

① 자본환원율은 순영업소득을 부동산의 가격으로 나누어 구할 수 있다.
② 부동산시장이 균형을 이루더라도 자산의 유형, 위치 등 특성에 따라 자본환원율이 서로 다른 부동산들이 존재할 수 있다.
③ 자본환원율은 자본의 기회비용을 반영하며, 금리의 상승은 자본환원율을 낮추는 요인이 된다.
④ 투자위험의 증가는 자본환원율을 높이는 요인이 된다.
⑤ 서로 다른 유형별, 지역별 부동산시장을 비교하여 분석하는 데 활용될 수 있다.

해설 ③ 금리의 상승은 자본환원율을 낮추는 요인 ⇨ 금리의 상승은 자본환원율을 높이는 요인

28

A임차인은 비율임대차(percentage lease)방식의 임대차계약을 체결하였다. 이 계약에서는 매장의 월 매출액이 손익분기점 매출액 이하이면 기본임대료만 지급하고, 손익분기점 매출액 초과이면 초과매출액에 대해 일정 임대료율을 적용한 추가임대료를 기본임대료에 가산하여 임대료를 지급한다고 약정하였다. 구체적인 계약조건과 예상매출액은 다음과 같다. 해당 계약내용에 따라 A임차인이 지급할 것으로 예상되는 임대료의 합계는? (단, 주어진 조건에 한함) 기본서 p.484~485

- 계약기간: 1년(1월~12월)
- 매장 임대면적: 300m²
- 임대면적당 기본임대료: 매월 5만원/m²
- 손익분기점 매출액: 매월 3,500만원
- 월별 임대면적당 예상매출액
  - 1월~6월: 매월 10만원/m²
  - 7월~12월: 매월 19만원/m²
- 손익분기점 매출액 초과시 초과매출액에 대한 추가임대료율: 10%

① 18,000만원 ② 19,320만원 ③ 28,320만원
④ 31,320만원 ⑤ 53,520만원

해설 ② 비율임대차 임대료 = 기본임대료 + 추가임대료 = 193,200,000원
- 기본임대료: 300m² × 50,000원 × 12개월 = 180,000,000원
- 추가임대료: 1월~6월까지는 추가임대료가 발생하지 않는다.
  (300m² × 190,000원)(예상임대료) − 35,000,000원(손익분기점) × 10%(임대료율) × 6개월 = 13,200,000원

Answer

25. ⑤ 26. ④ 27. ③ 28. ②

29

현재 5천만원의 기존 주택담보대출이 있는 A씨가 동일한 은행에서 동일한 주택을 담보로 추가대출을 받으려고 한다. 이 은행의 대출승인기준이 다음과 같을 때, A씨가 추가로 대출받을 수 있는 최대금액은 얼마인가? (단, 제시된 두 가지 대출승인기준을 모두 충족시켜야 하며, 주어진 조건에 한함) 기본서 p.379~380

- A씨의 담보주택의 담보가치평가액: 5억원
- A씨의 연간 소득: 6천만원
- 연간 저당상수: 0.1
- 대출승인기준
  - 담보인정비율(LTV): 70% 이하
  - 총부채상환비율(DTI): 60% 이하

① 2억원　② 2억 5천만원　③ 3억원
④ 3억 2천만원　⑤ 3억 5천만원

해설 ③ 추가로 대출받을 수 있는 최대금액은 3억원이다.

LTV 기준	DTI 기준
1) 공식을 적는다. $\frac{L}{V} = 0.7$ 2) V에 부동산가격 500을 대입한다. 3) L을 구한다. $(500 \times 0.7 = 350)$	1) 공식을 적는다. $\frac{D}{I} = 0.6$ 2) I에 차입자의 연소득 60을 대입한다. 3) D를 구한다. $(60 \times 0.6 = 36)$ 4) 융자가능금액을 계산한다. D(36) ÷ 저당상수(0.1) = 360

1) LTV 기준 융자가능 최대금액은 350이다.
2) DTI 기준 융자가능 최대금액은 360이다.
3) 두 기준을 모두 만족시키는 금액은 적은 금액인 350이다.
4) 이미 50을 빌렸기 때문에 추가로 융자가능한 금액은 300(3억원)이다.

30 부동산관리방식을 관리주체에 따라 분류할 때, 다음 설명에 모두 해당하는 방식은?

기본서 p.478~483

- 소유와 경영의 분리가 가능하다.
- 대형건물의 관리에 더 유용하다.
- 관리에 따른 용역비의 부담이 있다.
- 전문적이고 체계적인 관리가 가능하다.

① 직접관리 ② 위탁관리 ③ 자치관리
④ 유지관리 ⑤ 법정관리

해설 ② 위탁관리에 관한 설명이다.

≫ 위탁관리의 장단점

- **장 점**
  - ㉠ 부동산소유자는 본업에 전념할 수 있다.
  - ㉡ 부동산관리를 위탁함으로써 자사의 참모체계는 단순화시킬 수 있다.
  - ㉢ 합리적인 부동산관리를 통해 부동산관리비용을 절감할 수 있다.
  - ㉣ 관리업무의 타성화(매너리즘)를 방지할 수 있다.
- **단 점**
  - ㉠ 기밀유지 및 보안관리가 불안할 수 있다.
  - ㉡ 관리요원의 인사이동이 잦을 수 있어 안정성이 문제된다.
  - ㉢ 각 부문의 종합적인 관리가 용이하지 않다.

Answer
29. ③ 30. ②

31

고정금리대출의 상환방식에 관한 설명으로 옳은 것을 모두 고른 것은? (단, 주어진 조건에 한하며, 다른 조건은 동일함) 기본서 p.386~391

> ㉠ 만기일시상환대출은 대출기간 동안 차입자가 원금만 상환하기 때문에 원리금상환구조가 간단하다.
> ㉡ 체증식분할상환대출은 대출기간 초기에는 원리금상환액을 적게 하고 시간의 경과에 따라 늘려가는 방식이다.
> ㉢ 원리금균등분할상환대출이나 원금균등분할상환대출에서 거치기간이 있을 경우, 이자지급총액이 증가하므로 원리금지급총액도 증가하게 된다.
> ㉣ 대출채권의 가중평균상환기간(duration)은 원금균등분할상환대출에 비해 원리금균등분할상환대출이 더 길다.

① ㉠, ㉡　② ㉠, ㉢　③ ㉡, ㉢
④ ㉡, ㉢, ㉣　⑤ ㉠, ㉡, ㉢, ㉣

해설 ④ 옳은 것은 ㉡, ㉢, ㉣이다.
㉠ 원금만 상환 ⇨ 이자만 상환
만기일시상환은 저당기간 동안은 이자만 지불하다가 만기에 원금을 일시불로 지불하는 방식이다. 비상환저당 또는 이자매월상환저당방식이라고 한다.

32

한국주택금융공사의 주택담보노후연금(주택연금)에 관한 설명으로 옳은 것은? 기본서 p.408~411

① 주택소유자와 그 배우자의 연령이 보증을 위한 등기시점 현재 55세 이상인 자로서 소유하는 주택의 기준가격이 15억원 이하인 경우 가입할 수 있다.
② 주택소유자가 담보를 제공하는 방식에는 저당권 설정 등기 방식과 신탁 등기 방식이 있다.
③ 주택소유자가 생존해 있는 동안에만 노후생활자금을 매월 연금 방식으로 받을 수 있고, 배우자에게는 승계 되지 않는다.
④ 「주택법」에 따른 준주택 중 주거목적으로 사용되는 오피스텔의 소유자는 가입할 수 없다.
⑤ 주택담보노후연금(주택연금)을 받을 권리는 양도·압류할 수 있다.

해설 ①④ 부부 중 한 명이라도 만 55세 이상이고, 공시가격 12억원 이하의 주택 또는 주거용도의 오피스텔을 소유하신 사람이라면 누구나 이용할 수 있다. 다주택자인 경우에도 부부 소유주택의 공시지가를 합산한 가격이 12억원 이하이면 신청할 수 있다.
③ 주택소유자가 생존해 있는 동안에만 노후생활자금을 매월 연금 방식으로 받을 수 있고, 배우자에게는 승계 되지 않는다. ⇨ 부부 중 한 명이 사망한 경우에도 연금감액 없이 100% 동일금액의 지급을 보장한다.
⑤ 주택담보노후연금(주택연금)을 받을 권리는 양도·압류할 수 있다. ⇨ 양도·압류할 수 없다.

33 부동산투자회사법령상 자기관리 부동산투자회사가 상근으로 두어야 하는 자산운용 전문인력의 요건에 해당하는 사람을 모두 고른 것은? 기본서 p.434

> ㉠ 감정평가사로서 해당 분야에 3년을 종사한 사람
> ㉡ 공인중개사로서 해당 분야에 5년을 종사한 사람
> ㉢ 부동산투자회사에서 3년을 근무한 사람
> ㉣ 부동산학 석사학위 소지자로서 부동산의 투자·운용과 관련된 업무에 3년을 종사한 사람

① ㉠, ㉡ ② ㉠, ㉢ ③ ㉡, ㉣
④ ㉡, ㉢, ㉣ ⑤ ㉠, ㉡, ㉢, ㉣

해설 ③ 자산운용 전문인력의 요건에 해당하는 사람은 ㉡, ㉣이다.

> **부동산투자회사법 제22조 【자기관리 부동산투자회사의 자산운용 전문인력】**
> 자기관리 부동산투자회사는 그 자산을 투자·운용할 때에는 전문성을 높이고 주주를 보호하기 위하여 다음에 따른 자산운용 전문인력을 상근으로 두어야 한다.
> ① 감정평가사 또는 공인중개사로서 해당 분야에 5년 이상 종사한 사람
> ② 부동산 석사학위 이상의 소지자로서 관련된 업무에 3년 이상 종사한 사람
> ③ 그 밖에 대통령령으로 정하는 사람: 부동산투자회사 등에 5년 이상 근무하고 그중 3년 이상을 해당업무에 종사한 경력이 있는 사람

34 주택저당담보부채권(MBB)에 관한 설명으로 옳은 것은? 기본서 p.404~406

① 유동화기관이 모기지 풀(mortgage pool)을 담보로 발행하는 지분성격의 증권이다.
② 차입자가 상환한 원리금은 유동화기관이 아닌 MBB 투자자에게 직접 전달된다.
③ MBB 발행자는 초과담보를 제공하지 않는 것이 일반적이다.
④ MBB 투자자 입장에서 MPTS(mortgage pass-through securities)에 비해 현금흐름이 안정적이지 못해 불확실성이 크다는 단점이 있다.
⑤ MBB 투자자는 주택저당대출의 채무불이행위험과 조기상환위험을 부담하지 않는다.

해설 ⑤ MBB 투자자는 어떤 위험도 부담하지 않는다.
① MPTS에 관한 설명이다.
② 차입자가 상환한 원리금은 유동화기관에 전달되고 유동화기관이 책임을 지고 투자자와 약속한 원리금을 지불한다.
③ MBB 발행자는 초과담보를 가장 많이 제공하여야 한다.
④ MBB 투자자 입장에서는 불확실성(위험)이 가장 적은 증권이다.

Answer
31. ④ 32. ② 33. ③ 34. ⑤

35 감정평가에 관한 규칙에 규정된 내용으로 틀린 것은?

기본서 p.518

① 기준시점은 대상물건의 가격조사를 완료한 날짜로 한다. 다만, 기준시점을 미리 정하였을 때에는 그 날짜로 하여야 한다.

② 감정평가법인등은 법령에 다른 규정이 있는 경우에는 기준시점의 가치형성요인 등을 실제와 다르게 가정하거나 특수한 경우로 한정하는 조건을 붙여 감정평가할 수 있다.

③ 둘 이상의 대상물건이 일체로 거래되거나 대상물건 상호간에 용도상 불가분의 관계가 있는 경우에는 일괄하여 감정평가할 수 있다.

④ 하나의 대상물건이라도 가치를 달리하는 부분은 이를 구분하여 감정평가할 수 있다.

⑤ 일체로 이용되고 있는 대상물건의 일부분에 대하여 감정평가하여야 할 특수한 목적이나 합리적인 이유가 있는 경우에는 그 부분에 대하여 감정평가할 수 있다.

해설 ① 하여야 한다. ⇨ 할 수 있다.

36 다음 자료에서 수익방식에 의한 대상부동산의 시산가액 산정시 적용된 환원율은? (단, 연간 기준이며, 주어진 조건에 한함)

기본서 p.552~553

- 가능총수익(PGI): 50,000,000원
- 공실손실상당액 및 대손충당금: 가능총수익(PGI)의 10%
- 운영경비(OE): 가능총수익(PGI)의 20%
- 환원방법: 직접환원법
- 수익방식에 의한 대상부동산의 시산가액: 500,000,000원

① 7.0%　② 7.2%　③ 8.0%
④ 8.1%　⑤ 9.0%

해설 ① 환원이율은 7.0%이다.

500	50 가 공 5
	45 유 경 10
	35 순

환원이율 = 35 ÷ 500 = 0.07(= 7%)

37 다음 자료를 활용하여 거래사례비교법으로 산정한 대상토지의 시산가액은? (단, 주어진 조건에 한함)

기본서 p.562~563

- 대상토지
  - 소재지: A시 B구 C동 150번지
  - 용도지역: 제3종일반주거지역
  - 이용상황, 지목, 면적: 상업용, 대, $100m^2$
- 기준시점: 2024.10.26.
- 거래사례
  - 소재지: A시 B구 C동 120번지
  - 용도지역: 제3종일반주거지역
  - 이용상황, 지목, 면적: 상업용, 대, $200m^2$
  - 거래가액: 625,000,000원(가격구성비율은 토지 80%, 건물 20%임)
  - 사정 개입이 없는 정상적인 거래사례임
  - 거래시점: 2024.05.01.
- 지가변동률(A시 B구, 2024.05.01.~2024.10.26.): 주거지역 4% 상승, 상업지역 5% 상승
- 지역요인: 대상토지와 거래사례 토지는 인근지역에 위치함
- 개별요인: 대상토지는 거래사례 토지에 비해 10% 우세함
- 상승식으로 계산

① 234,000,000원
② 286,000,000원
③ 288,750,000원
④ 572,000,000원
⑤ 577,500,000원

해설 625,000,000원 $\times \frac{100}{200}$(면적) $\times$ 1.04(주거지역) $\times$ 1.1(개별) $\times$ 0.8(토지가격구성비)
= 286,000,000원

Answer
35. ① 36. ① 37. ②

38 원가법에서의 재조달원가에 관한 설명으로 틀린 것은? 기본서 p.541~542

① 재조달원가란 대상물건을 기준시점에 재생산하거나 재취득하는 데 필요한 적정원가의 총액을 말한다.
② 총량조사법, 구성단위법, 비용지수법은 재조달원가의 산정방법에 해당한다.
③ 재조달원가는 대상물건을 일반적인 방법으로 생산하거나 취득하는 데 드는 비용으로 하되, 제세공과금은 제외한다.
④ 재조달원가를 구성하는 표준적 건설비에는 수급인의 적정이윤이 포함된다.
⑤ 재조달원가를 구할 때 직접법과 간접법을 병용할 수 있다.

해설 ③ 제세공과금은 제외한다. ⇨ 제세공과금을 포함한다.

39 부동산 가격공시에 관한 법령상 부동산 가격공시제도에 관한 내용으로 틀린 것은? 기본서 p.576~577

① 표준주택으로 선정된 단독주택, 국세 또는 지방세 부과대상이 아닌 단독주택에 대하여는 개별주택가격을 결정・공시하지 아니할 수 있다.
② 표준주택가격은 국가・지방자치단체 등이 그 업무와 관련하여 개별주택가격을 산정하는 경우에 그 기준이 된다.
③ 개별주택가격 및 공동주택가격은 주택시장의 가격정보를 제공하고, 국가・지방자치단체 등이 과세 등의 업무와 관련하여 주택의 가격을 산정하는 경우에 그 기준으로 활용될 수 있다.
④ 개별주택가격에 이의가 있는 자는 그 결정・공시일부터 30일 이내에 서면(전자문서를 포함한다)으로 시장・군수 또는 구청장에게 이의를 신청할 수 있다.
⑤ 시장・군수 또는 구청장은 공시기준일 이후에 토지의 분할・합병이나 건축물의 신축 등이 발생한 경우에는 대통령령으로 정하는 날을 기준으로 하여 공동주택가격을 결정・공시하여야 한다.

해설 ⑤ 공동주택가격을 결정・공시하는 것은 국토교통부장관이다.

40 **감정평가에 관한 규칙상 대상물건별로 정한 감정평가방법**(주된 감정평가방법)**에 관한 설명으로 옳은 것을 모두 고른 것은?** 기본서 p.521~523

> ㉠ 건물의 주된 감정평가방법은 원가법이다.
> ㉡ 「집합건물의 소유 및 관리에 관한 법률」에 따른 구분소유권의 대상이 되는 건물부분과 그 대지사용권을 일괄하여 감정평가하는 경우의 주된 감정평가방법은 거래사례비교법이다.
> ㉢ 자동차와 선박의 주된 감정평가방법은 거래사례비교법이다. 다만, 본래 용도의 효용가치가 없는 물건은 해체처분가액으로 감정평가할 수 있다.
> ㉣ 영업권과 특허권의 주된 감정평가방법은 수익분석법이다.

① ㉠, ㉡　② ㉡, ㉣　③ ㉠, ㉡, ㉢
④ ㉠, ㉡, ㉣　⑤ ㉠, ㉢, ㉣

해설 ① 옳은 것은 ㉠, ㉡이다.
㉢ 선박의 주된 감정평가방법은 원가법이다.
㉣ 영업권과 특허권의 주된 감정평가방법은 수익환원법이다.

Answer
38. ③　39. ⑤　40. ①

민법 · 민사특별법

시 / 험 / 총 / 평

제35회 시험은 제34회 시험에 비해서 다소 쉽게 출제되었다. 1번부터 32번까지의 문제 중 5문제 정도는 고난이도 문제였지만 나머지 문제는 기출문제와 동형모의고사를 충실하게 공부한 수험생이라면 명확하게 답을 찾을 수 있었을 것이다. 뒷부분 문제는 최근 판례를 응용한 문제가 다수 출제되어 답을 찾기 어려운 시험이었다. 제36회 시험을 준비하는 수험생은 처음 공부할 때부터 자주 출제되고 확실하게 맞출 수 있는 문제를 집중적으로 외우는 습관을 들이는 것을 권장한다.

01 **반사회질서의 법률행위에 해당하는 것은?** (다툼이 있으면 판례에 따름) 기본서 p.30~33

① 법령에서 정한 한도를 초과하는 부동산 중개수수료 약정
② 강제집행을 면할 목적으로 허위의 근저당권을 설정하는 행위
③ 다수의 보험계약을 통해 보험금을 부정취득할 목적으로 체결한 보험계약
④ 반사회적 행위에 의하여 조성된 비자금을 소극적으로 은닉하기 위한 임치계약
⑤ 양도소득세를 회피할 목적으로 실제 거래가액보다 낮은 금액을 대금으로 기재한 매매계약

해설 ③ 보험금을 부정취득할 목적으로 보험계약을 체결한 경우, 이러한 보험계약은 반사회질서의 법률행위로서 무효이다.

02 **甲은 강제집행을 피하기 위해 자신의 X부동산을 乙에게 가장매도하여 소유권이전등기를 해 주었는데, 乙이 이를 丙에게 매도하고 소유권이전등기를 해 주었다. 다음 설명 중 틀린 것은?** (다툼이 있으면 판례에 따름) 기본서 p.45~49

① 甲과 乙사이의 계약은 무효이다.
② 甲과 乙사이의 계약은 채권자취소권의 대상이 될 수 있다.
③ 丙이 선의인 경우, 선의에 대한 과실의 유무를 묻지 않고 丙이 소유권을 취득한다.
④ 丙이 악의라는 사실에 관한 증명책임은 허위표시의 무효를 주장하는 자에게 있다.
⑤ 만약 악의의 丙이 선의의 丁에게 X부동산을 매도하고 소유권이전등기를 해 주더라도 丁은 소유권을 취득하지 못한다.

해설 ⑤ 제3자가 악의라도 그 전득자가 통정허위표시에 대하여 선의인 때에는 전득자에게 허위표시의 무효를 주장할 수 없으므로, 선의인 丁은 소유권을 취득한다.

03 착오로 인한 의사표시에 관한 설명으로 옳은 것을 모두 고른 것은? (다툼이 있으면 판례에 따름)

기본서 p.50~53

> ㉠ 착오로 인한 의사표시의 취소는 선의의 제3자에게 대항하지 못한다.
> ㉡ 의사표시의 상대방이 의사표시자의 착오를 알고 이용한 경우, 착오가 중대한 과실로 인한 것이라도 의사표시자는 의사표시를 취소할 수 있다.
> ㉢ X토지를 계약의 목적물로 삼은 당사자가 모두 지번에 착오를 일으켜 계약서에 목적물을 Y토지로 표시한 경우, 착오를 이유로 의사표시를 취소할 수 있다.

① ㉠
② ㉢
③ ㉠, ㉡
④ ㉡, ㉢
⑤ ㉠, ㉡, ㉢

해설 ㉢ 매매계약 당사자 모두 매매목적물인 X토지의 지번에 착오를 일으켜 계약서에 목적물을 Y토지로 표시한 경우, 착오를 이유로 의사표시를 취소할 수 없다.

04 사기 · 강박에 의한 의사표시에 관한 설명으로 옳은 것을 모두 고른 것은? (다툼이 있으면 판례에 따름)

기본서 p.54~57

> ㉠ 아파트 분양자가 아파트단지 인근에 대규모 공동묘지가 조성된 사실을 알면서 수분양자에게 고지하지 않은 경우, 이는 기망행위에 해당한다.
> ㉡ 교환계약의 당사자가 목적물의 시가를 묵비한 것은 원칙적으로 기망행위에 해당한다.
> ㉢ '제3자의 강박'에 의한 의사표시에서 상대방의 대리인은 제3자에 포함되지 않는다.

① ㉠
② ㉡
③ ㉠, ㉢
④ ㉡, ㉢
⑤ ㉠, ㉡, ㉢

해설 ㉡ 교환계약의 당사자가 목적물의 시가를 묵비하여 상대방에게 고지하지 아니하거나 허위로 시가보다 높은 가액을 시가라고 고지한 경우라도 사기에 해당하지 않는다.

Answer

01. ③ 02. ⑤ 03. ③ 04. ③

05 의사표시의 취소에 관한 설명으로 옳은 것을 모두 고른 것은?

기본서 p.95~100

> ㉠ 취소권은 추인할 수 있는 날로부터 10년이 경과하더라도 행사할 수 있다.
> ㉡ 강박에 의한 의사표시를 한 자는 강박상태를 벗어나기 전에도 이를 취소할 수 있다.
> ㉢ 취소할 수 있는 법률행위의 상대방이 확정되었더라도 상대방이 그 법률행위로부터 취득한 권리를 제3자에게 양도하였다면 취소의 의사표시는 그 제3자에게 해야 한다.

① ㉠
② ㉡
③ ㉢
④ ㉠, ㉡
⑤ ㉡, ㉢

해설 ㉠ 취소권은 추인할 수 있는 날로부터 3년이 경과하면 행사할 수 없다.
㉢ 취소할 수 있는 법률행위의 상대방이 확정된 경우에는 취소의 의사표시는 그 상대방에게 해야 한다.

06 甲의 乙에 대한 의사표시에 관한 설명으로 옳은 것은? (다툼이 있으면 판례에 따름)

기본서 p.58~60

① 甲이 부동산 매수청약의 의사표시를 발송한 후 사망하였다면 그 효력은 발생하지 않는다.
② 乙이 의사표시를 받은 때에 제한능력자이더라도 甲은 원칙적으로 그 의사표시의 효력을 주장할 수 있다.
③ 甲의 의사표시가 乙에게 도달되었다고 보기 위해서는 乙이 그 내용을 알았을 것을 요한다.
④ 甲의 의사표시가 등기우편의 방법으로 발송된 경우, 상당한 기간 내에 도달되었다고 추정할 수 없다.
⑤ 乙이 정당한 사유 없이 계약해지 통지의 수령을 거절한 경우, 乙이 그 통지의 내용을 알 수 있는 객관적 상태에 놓여 있는 때에 의사표시의 효력이 생긴다.

해설 ① 표의자가 그 통지를 발한 후 사망하거나 행위능력을 상실하여도 의사표시의 효력에 영향을 미치지 아니한다.
② 제한능력자는 원칙적으로 의사표시의 수령무능력자이므로, 의사표시를 제한능력자가 수령한 때에는 표의자는 도달을 주장하지 못한다.
③ 도달이란 사회통념상 요지할 수 있는 상태에 달한 때를 말한다. 따라서 상대방이 이를 현실적으로 수령하거나 그 통지의 내용을 알았을 것까지 요하지는 않는다(대판 1997.11.25, 97다31281).
④ 내용증명우편이나 등기우편으로 우편물이 발송되고 달리 반송되지 않았다면 특별한 사정이 없는 한 이는 그 무렵에 송달되었다고 봄이 상당하다(대판 2007.12.27, 2007다51758).

07 계약의 무권대리에 관한 설명으로 옳은 것은? (다툼이 있으면 판례에 따름)

기본서 p.75~85

① 본인이 추인하면 특별한 사정이 없는 한 그때부터 계약의 효력이 생긴다.
② 본인의 추인의 의사표시는 무권대리행위로 인한 권리의 승계인에 대하여는 할 수 없다.
③ 계약 당시 무권대리행위임을 알았던 상대방은 본인의 추인이 있을 때까지 의사표시를 철회할 수 있다.
④ 무권대리의 상대방은 상당한 기간을 정하여 본인에게 추인여부의 확답을 최고할 수 있고, 본인이 그 기간 내에 확답을 발하지 않으면 추인한 것으로 본다.
⑤ 본인이 무권대리행위를 안 후 그것이 자기에게 효력이 없다고 이의를 제기하지 않고 이를 장시간 방치한 사실만으로는 추인하였다고 볼 수 없다.

해설 ① 추인은 다른 의사표시가 없을 때에는 계약시에 소급하여 그 효력이 생긴다.
② 추인의 의사표시는 상대방의 특별승계인에 대해서도 할 수 있다.
③ 계약 당시 무권대리행위임을 알았던 상대방은 의사표시를 철회할 수 없다.
④ 본인이 그 기간 내에 확답을 발하지 않으면 거절한 것으로 본다.

08 甲은 자신의 토지에 관한 매매계약 체결을 위해 乙에게 대리권을 수여하였고, 乙은 甲의 대리인으로서 丙과 매매계약을 체결하였다. 다음 설명 중 옳은 것을 모두 고른 것은? (다툼이 있으면 판례에 따름)

기본서 p.71~74

㉠ 乙은 원칙적으로 복대리인을 선임할 수 있다. ㉡ 乙은 특별한 사정이 없는 한 계약을 해제할 권한이 없다. ㉢ 乙이 丙에게 甲의 위임장을 제시하고 계약을 체결하면서 계약서상 매도인을 乙로 기재한 경우, 특별한 사정이 없는 한 甲에게 그 계약의 효력이 미치지 않는다.

① ㉡
② ㉢
③ ㉠, ㉡
④ ㉠, ㉢
⑤ ㉡, ㉢

해설 ㉠ 임의대리인은 원칙적으로 복임권이 없으나, 본인의 승낙이 있거나 부득이한 사유가 있는 때에 한하여 복대리인을 선임할 수 있다.
㉢ 매매위임장을 제시하고 매매계약을 체결하는 자는 특단의 사정이 없는 한 소유자를 대리하여 매매행위를 하는 것이라고 보아야 한다(대판 1982.5.25, 81다1349).

Answer
05. ② 06. ⑤ 07. ⑤ 08. ①

09 **취소할 수 있는 법률행위의 법정추인 사유가 아닌 것은?** 기본서 p.98~99

① 혼동
② 경개
③ 취소권자의 이행청구
④ 취소권자의 강제집행
⑤ 취소권자인 채무자의 담보제공

해설 ① 혼동은 법정추인 사유가 아니다.

10 **법률행위의 부관에 관한 설명으로 틀린 것은?** (다툼이 있으면 판례에 따름) 기본서 p.102~108

① 조건의사가 있더라도 외부에 표시되지 않으면 그것만으로는 조건이 되지 않는다.
② 기한이익 상실특약은 특별한 사정이 없는 한 정지조건부 기한이익 상실특약으로 추정한다.
③ 조건을 붙일 수 없는 법률행위에 조건을 붙인 경우, 다른 정함이 없으면 그 법률행위 전부가 무효로 된다.
④ '정지조건부 법률행위에 해당한다는 사실'에 대한 증명책임은 그 법률행위로 인한 법률효과의 발생을 다투는 자에게 있다.
⑤ 불확정한 사실이 발생한 때를 이행기한으로 정한 경우, 그 사실의 발생이 불가능하게 된 때에도 기한이 도래한 것으로 보아야 한다.

해설 ② 기한이익 상실의 특약은 일반적으로 채권자를 위하여 둔 것인 점에 비추어 명백히 정지조건부 기한이익 상실의 특약이라고 볼 만한 특별한 사정이 없는 이상 형성권적 기한이익 상실의 특약으로 추정된다(대판 2002.9.4, 2002다28340).

11 **물권에 관한 설명으로 옳은 것은?** (다툼이 있으면 판례에 따름) 기본서 p.112~115

① 관습법에 의한 물권은 인정되지 않는다.
② 저당권은 법률규정에 의해 성립할 수 없다.
③ 부동산 물권변동에 관해서 공신의 원칙이 인정된다.
④ 1필 토지의 일부에 대해서는 저당권이 성립할 수 없다.
⑤ 물건의 집단에 대해서는 하나의 물권이 성립하는 경우가 없다.

해설 ① 관습법에 의한 물권도 인정된다.
② 법률규정에 의해 저당권이 발생하는 경우도 있다.
③ 부동산 물권변동에 관해서는 공신의 원칙은 인정되지 않는다.
⑤ 물건의 집단에 대해서도 특정할 수 있으면 하나의 물권이 성립할 수 있다.

12 등기 없이도 부동산 물권취득의 효력이 있는 경우를 모두 고른 것은? (다툼이 있으면 판례에 따름)

기본서 p.125

㉠ 매매	㉡ 건물신축
㉢ 점유시효취득	㉣ 공유물의 현물분할판결

① ㉠, ㉡
② ㉡, ㉢
③ ㉡, ㉣
④ ㉢, ㉣
⑤ ㉠, ㉢, ㉣

해설 ㉡ 자기 비용과 노력으로 건물을 신축한 자는 특별한 사정이 없는 한 보존등기 없이도 건물의 소유권을 원시취득한다(대판 2005.7.15, 2005다19415).
㉣ 공유물분할판결에 의한 물권변동의 효력은 판결확정시에 등기 없이도 발생한다.

13 점유보호청구권에 관한 설명으로 <u>틀린</u> 것은? (다툼이 있으면 판례에 따름)

기본서 p.120~121

① 점유권에 기인한 소는 본권에 관한 이유로 재판하지 못한다.
② 과실 없이 점유를 방해하는 자에 대해서도 방해배제를 청구할 수 있다.
③ 점유자가 사기를 당해 점유를 이전한 경우, 점유물반환을 청구할 수 없다.
④ 공사로 인하여 점유의 방해를 받은 경우, 그 공사가 완성한 때에는 방해의 제거를 청구하지 못한다.
⑤ 타인의 점유를 침탈한 뒤 제3자에 의해 점유를 침탈당한 자는 점유물반환청구권의 상대방이 될 수 있다.

해설 ⑤ 타인의 점유를 침탈한 뒤 제3자에 의해 점유를 침탈당한 자는 현재 점유하고 있는 자가 아니므로 점유물반환청구권의 상대방이 될 수 없다.

Answer

09. ① 10. ② 11. ④ 12. ③ 13. ⑤

14 **甲은 자신의 토지를 乙에게 매도하여 인도하였고, 乙은 그 토지를 점유·사용하다가 다시 丙에게 매도하여 인도하였다. 甲과 乙은 모두 대금 전부를 수령하였고, 甲·乙·丙 사이에 중간생략등기의 합의가 있었다. 다음 설명 중 옳은 것은?** (다툼이 있으면 판례에 따름)

기본서 p.130~132

① 甲은 丙을 상대로 소유물반환을 청구할 수 있다.
② 甲은 乙을 상대로 소유물반환을 청구할 수 없다.
③ 丙은 직접 甲을 상대로 소유권이전등기를 청구할 수 없다.
④ 丙은 乙을 대위하여 甲을 상대로 소유권이전등기를 청구할 수 없다.
⑤ 만약 乙이 인도받은 후 현재 10년이 지났다면, 乙은 甲에 대해 소유권이전등기를 청구할 수 없다.

해설 ①② 乙과 丙은 점유할 정당한 권원이 있으므로, 甲은 乙과 丙에게 소유물반환을 청구할 수 없다.
③ 甲·乙·丙 사이에 중간생략등기의 합의가 있었으므로, 丙은 직접 甲에게 소유권이전등기를 청구할 수 있다.
④ 甲·乙·丙 사이에 중간생략등기의 합의가 있더라도 乙의 등기청구권이 소멸하는 것은 아니므로, 丙은 乙을 대위하여 甲에게 소유권이전등기를 청구할 수 있다.
⑤ 乙이 토지를 점유·사용하다가 다시 丙에게 매도하여 인도한 경우에는 乙의 등기청구권은 시효로 소멸하지 않는다.

15 **부동산 공유에 관한 설명으로 틀린 것은?** (다툼이 있으면 판례에 따름) 기본서 p.168~173

① 공유물의 보존행위는 공유자 각자가 할 수 있다.
② 공유자는 공유물 전부를 지분의 비율로 사용·수익할 수 있다.
③ 공유자는 다른 공유자의 동의 없이 공유물을 처분하거나 변경하지 못한다.
④ 공유자는 자신의 지분에 관하여 단독으로 제3자의 취득시효를 중단시킬 수 없다.
⑤ 공유물 무단점유자에 대한 차임 상당 부당이득반환청구권은 특별한 사정이 없는 한 각 공유자에게 지분 비율만큼 귀속된다.

해설 ④ 공유자는 단독으로 자신의 지분에 관한 제3자의 취득시효를 중단시킬 수 있다.

16 **공유물분할에 관한 설명으로 옳은 것을 모두 고른 것은?** (다툼이 있으면 판례에 따름)

기본서 p.171~172

㉠ 재판상 분할에서 분할을 원하는 공유자의 지분만큼은 현물분할하고, 분할을 원하지 않는 공유자는 계속 공유로 남게 할 수 있다. ㉡ 토지의 협의분할은 등기를 마치면 그 등기가 접수된 때 물권변동의 효력이 있다. ㉢ 공유자는 다른 공유자가 분할로 인하여 취득한 물건에 대하여 그 지분의 비율로 매도인과 동일한 담보책임이 있다. ㉣ 공유자 사이에 이미 분할협의가 성립하였는데 일부 공유자가 분할에 따른 이전등기에 협조하지 않은 경우, 공유물분할소송을 제기할 수 없다.

① ㉠
② ㉡, ㉢
③ ㉢, ㉣
④ ㉠, ㉡, ㉣
⑤ ㉠, ㉡, ㉢, ㉣

해설 ㉠ 공유물분할청구의 소에서 법원은 원칙적으로 공유물분할을 청구하는 원고가 구하는 방법에 구애받지 않고 재량에 따라 합리적 방법으로 분할을 명할 수 있다. 따라서 특별한 사정이 있으면 가격배상하는 방법의 공유물분할판결도 가능하다.
㉣ 공유자 사이의 분할협의가 성립한 경우에는 일부 공유자가 협의에 따른 이전등기에 협조하지 않더라도 더 이상 재판상 분할청구는 허용되지 않는다(대판 1995.1.12, 94다30348).

17 **甲소유 토지에 乙이 무단으로 건물을 신축한 뒤 丙에게 임대하여 丙이 현재 그 건물을 점유하고 있다. 다음 설명 중 <u>틀린</u> 것은?** (다툼이 있으면 판례에 따름)

기본서 p.112~113

① 甲은 丙을 상대로 건물에서의 퇴거를 청구할 수 없다.
② 甲은 乙을 상대로 건물의 철거 및 토지의 인도를 청구할 수 있다.
③ 甲은 乙을 상대로 토지의 무단 사용을 이유로 부당이득반환청구권을 행사할 수 있다.
④ 만약 乙이 임대하지 않고 스스로 점유하고 있다면, 甲은 乙을 상대로 건물에서의 퇴거를 청구할 수 없다.
⑤ 만약 丙이 무단으로 건물을 점유하고 있다면, 乙은 丙을 상대로 건물의 인도를 청구할 수 있다.

해설 ① 건물 철거를 실행하기 위해서 甲은 자신의 소유권에 기한 방해배제로서 丙에 대하여 건물에서 퇴거할 것을 청구할 수 있다.

Answer

14. ② 15. ④ 16. ⑤ 17. ①

18 분묘기지권에 관한 설명으로 옳은 것을 모두 고른 것은? (다툼이 있으면 판례에 따름)

기본서 p.180~182

> ㉠ 분묘기지권은 봉분 등 외부에서 분묘의 존재를 인식할 수 있는 형태를 갖추고 등기하여야 성립한다.
> ㉡ 토지소유자의 승낙을 얻어 분묘를 설치함으로써 분묘기지권을 취득한 경우, 설치할 당시 토지소유자와의 합의에 의하여 정한 지료지급의무의 존부나 범위의 효력은 그 토지의 승계인에게는 미치지 않는다.
> ㉢ 자기 소유 토지에 분묘를 설치한 사람이 그 토지를 양도하면서 분묘를 이장하겠다는 특약을 하지 않음으로써 분묘기지권을 취득한 경우, 분묘기지권자는 특별한 사정이 없는 한 분묘기지권이 성립한 때부터 지료를 지급할 의무가 있다.

① ㉠
② ㉢
③ ㉠, ㉡
④ ㉡, ㉢
⑤ ㉠, ㉡, ㉢

해설 ㉠ 분묘기지권은 등기할 수 있는 권리가 아니다.
㉡ 토지소유자의 승낙을 얻어 분묘를 설치함으로써 분묘기지권을 취득한 경우, 설치할 당시 토지소유자와의 합의에 의하여 정한 지료지급의무의 존부나 범위의 효력은 그 토지의 승계인에게도 미친다.

19 지역권에 관한 설명으로 틀린 것은?

기본서 p.190~192

① 지역권은 요역지와 분리하여 양도할 수 없다.
② 지역권은 표현된 것이 아니더라도 시효취득할 수 있다.
③ 요역지의 소유권이 이전되면 다른 약정이 없는 한 지역권도 이전된다.
④ 요역지의 공유자 1인은 그 토지 지분에 관한 지역권을 소멸시킬 수 없다.
⑤ 공유자의 1인이 지역권을 취득한 때에는 다른 공유자도 지역권을 취득한다.

해설 ② 지역권은 계속되고 표현된 것에 한하여 시효취득할 수 있다.

20 전세권에 관한 설명으로 틀린 것은?

기본서 p.193~198

① 전세금의 반환은 전세권말소등기에 필요한 서류를 교부하기 전에 이루어져야 한다.
② 전세권자는 전세권설정자에 대하여 통상의 수선에 필요한 비용의 상환을 청구할 수 없다.
③ 전전세한 목적물에 불가항력으로 인한 손해가 발생한 경우, 그 손해가 전전세하지 않았으면 면할 수 있는 것이었던 때에는 전세권자는 그 책임을 부담한다.
④ 대지와 건물을 소유한 자가 건물에 대해서만 전세권을 설정한 후 대지를 제3자에게 양도한 경우, 제3자는 전세권설정자에 대하여 대지에 대한 지상권을 설정한 것으로 본다.
⑤ 타인의 토지에 지상권을 설정한 자가 그 위에 건물을 신축하여 그 건물에 전세권을 설정한 경우, 그 건물소유자는 전세권자의 동의 없이 지상권을 소멸하게 하는 행위를 할 수 없다.

해설 ① 전세권이 소멸한 때에는 전세권설정자는 전세권자로부터 그 목적물의 인도 및 전세권설정등기의 말소등기에 필요한 서류의 교부를 받는 동시에 전세금을 반환하여야 한다(제317조).

21 민법상 유치권에 관한 설명으로 틀린 것은? (다툼이 있으면 판례에 따름)

기본서 p.202~207

① 권리금반환청구권은 유치권의 피담보채권이 될 수 없다.
② 유치권의 행사는 피담보채권 소멸시효의 진행에 영향을 미치지 않는다.
③ 공사대금채권에 기하여 유치권을 행사하는 자가 스스로 유치물인 주택에 거주하며 사용하는 것은 특별한 사정이 없는 한 유치물의 보존에 필요한 사용에 해당한다.
④ 유치권에 의한 경매가 목적부동산 위의 부담을 소멸시키는 법정매각조건으로 실시된 경우, 그 경매에서 유치권자는 일반채권자보다 우선하여 배당을 받을 수 있다.
⑤ 건물신축공사를 도급받은 수급인이 사회통념상 독립한 건물이 되지 못한 정착물을 토지에 설치한 상태에서 공사가 중단된 경우, 수급인은 그 정착물에 대하여 유치권을 행사할 수 없다.

해설 ④ 경매에서 유치권자는 일반채권자보다 우선하여 변제받을 권리가 없다.

Answer
18. ② 19. ② 20. ① 21. ④

22 **저당물의 경매로 토지와 건물의 소유자가 달라지는 경우에 성립하는 법정지상권에 관한 설명으로 옳은 것을 모두 고른 것은?** (다툼이 있으면 판례에 따름) 기본서 p.183~189

> ㉠ 토지에 관한 저당권설정 당시 해당 토지에 일시사용을 위한 가설건축물이 존재하였던 경우, 법정지상권은 성립하지 않는다.
> ㉡ 토지에 관한 저당권설정 당시 존재하였던 건물이 무허가건물인 경우, 법정지상권은 성립하지 않는다.
> ㉢ 지상건물이 없는 토지에 저당권을 설정받으면서 저당권자가 신축 개시 전에 건축을 동의한 경우, 법정지상권은 성립하지 않는다.

① ㉡
② ㉢
③ ㉠, ㉡
④ ㉠, ㉢
⑤ ㉠, ㉡, ㉢

해설 ㉡ 토지에 저당권이 설정될 당시 동일인 소유의 건물이 존재하기만 하면 족하고, 그 건물이 무허가건물이거나 미등기건물이라도 법정지상권이 발생할 수 있다(대판 2004.6.11, 2004다13533).

23 **甲은 2020. 1. 1. 乙에게 1억원을 대여하면서 변제기 2020. 12. 30., 이율 연 5%, 이자는 매달 말일 지급하기로 약정하였고, 그 담보로 당일 乙소유 토지에 저당권을 취득하였다. 乙이 차용일 이후부터 한 번도 이자를 지급하지 않았고, 甲은 2023. 7. 1. 저당권실행을 위한 경매를 신청하였다. 2023. 12. 31. 배당절차에서 배당재원 3억원으로 배당을 실시하게 되었는데, 甲은 총 1억 2,000만원의 채권신고서를 제출하였다. 甲의 배당금액은?** (甲보다 우선하는 채권자는 없으나 2억원의 후순위저당권자가 있고, 공휴일 및 소멸시효와 이자에 대한 지연손해금 등은 고려하지 않음) 기본서 p.216~218

① 1억 500만원
② 1억 1,000만원
③ 1억 1,500만원
④ 1억 1,750만원
⑤ 1억 2,000만원

해설 ② 원금 1억원에 대한 이율 연 5%에 해당하는 이자는 500만원이고, 후순위저당권자가 있으므로 원금에 대한 지연이자는 1년분에 해당하는 500만원이다. 따라서 甲의 배당금액은 1억 1,000만원이다.

24 근저당권에 관한 설명으로 옳은 것을 모두 고른 것은? (다툼이 있으면 판례에 따름)

기본서 p.216~218

> ㉠ 채무자가 아닌 제3자도 근저당권을 설정할 수 있다.
> ㉡ 피담보채무 확정 전에는 채무자를 변경할 수 있다.
> ㉢ 근저당권에 의해 담보될 채권최고액에 채무의 이자는 포함되지 않는다.

① ㉠ ② ㉢ ③ ㉠, ㉡ ④ ㉡, ㉢ ⑤ ㉠, ㉡, ㉢

해설 ㉢ 근저당권에 의해 담보될 채권최고액에는 채무의 이자도 당연히 포함된다.

25 민법상 계약에 관한 설명으로 옳은 것은?

기본서 p.224~226

① 매매계약은 요물계약이다.
② 도급계약은 편무계약이다.
③ 교환계약은 무상계약이다.
④ 증여계약은 요식계약이다.
⑤ 임대차계약은 유상계약이다.

해설 ① 매매계약은 낙성계약이다.
② 도급계약은 쌍무계약이다.
③ 교환계약은 유상계약이다.
④ 증여계약은 불요식계약이다.

26 계약의 성립과 내용에 관한 설명으로 <u>틀린</u> 것은? (다툼이 있으면 판례에 따름)

기본서 p.227~231

① 격지자간의 계약은 승낙의 통지를 발송한 때에 성립한다.
② 관습에 의하여 승낙의 통지가 필요하지 않는 경우, 계약은 승낙의 의사표시로 인정되는 사실이 있는 때에 성립한다.
③ 당사자간에 동일한 내용의 청약이 상호교차된 경우, 양 청약이 상대방에게 도달한 때에 계약이 성립한다.
④ 승낙자가 청약에 대하여 변경을 가하여 승낙한 때에는 그 청약의 거절과 동시에 새로 청약한 것으로 본다.
⑤ 선시공 · 후분양이 되는 아파트의 경우, 준공 전 그 외형 · 재질에 관하여 분양광고에만 표현된 내용은 특별한 사정이 없는 한 분양계약의 내용이 된다.

해설 ⑤ 선시공 · 후분양의 방식으로 분양된 경우에는 분양광고에만 표현되어 있는 아파트의 외형 · 재질 등에 관한 사항은 특별한 사정이 없는 한 이를 분양계약의 내용으로 보기는 어렵다(대판 2014.11.13, 2012다29601).

Answer
22. ④ 23. ② 24. ③ 25. ⑤ 26. ⑤

27 계약체결상의 과실책임에 관한 설명으로 옳은 것을 모두 고른 것은? (다툼이 있으면 판례에 따름)

기본서 p.232~233

> ㉠ 계약이 의사의 불합치로 성립하지 않는다는 사실을 알지 못하여 손해를 입은 당사자는 계약체결 당시 그 계약이 불성립될 수 있다는 것을 안 상대방에게 계약체결상의 과실책임을 물을 수 있다.
> ㉡ 부동산 수량지정 매매에서 실제면적이 계약면적에 미달하는 경우, 그 부분의 원시적 불능을 이유로 계약체결상의 과실책임을 물을 수 없다.
> ㉢ 계약체결 전에 이미 매매목적물이 전부 멸실된 사실을 알지 못하여 손해를 입은 계약당사자는 계약체결 당시 그 사실을 안 상대방에게 계약체결상의 과실책임을 물을 수 있다.

① ㉠
② ㉡
③ ㉠, ㉢
④ ㉡, ㉢
⑤ ㉠, ㉡, ㉢

해설 ㉠ 계약체결상의 과실책임은 체결된 계약의 내용이 원시적 불능으로 인하여 그 계약이 무효이어야 적용되므로, 계약이 의사의 불합치로 성립하지 않은 경우에는 계약체결상의 과실책임을 물을 수 없다.

28 동시이행의 항변권에 관한 설명으로 틀린 것은? (다툼이 있으면 판례에 따름)

기본서 p.238~243

① 서로 이행이 완료된 쌍무계약이 무효로 된 경우, 당사자 사이의 반환의무는 동시이행관계에 있다.
② 구분소유적 공유관계가 해소된 경우, 공유지분권자 상호간의 지분이전등기의무는 동시이행관계에 있다.
③ 동시이행의 항변권이 붙어 있는 채권은 특별한 사정이 없는 한 이를 자동채권으로 하여 상계하지 못한다.
④ 양 채무의 변제기가 도래한 쌍무계약에서 수령지체에 빠진 자는 이후 상대방이 자기 채무의 이행제공 없이 이행을 청구하는 경우, 동시이행의 항변권을 행사할 수 있다.
⑤ 채무를 담보하기 위해 채권자 명의의 소유권이전등기가 된 경우, 피담보채무의 변제의무와 그 소유권이전등기의 말소의무는 동시이행관계에 있다.

해설 ⑤ 피담보채무의 변제와 담보물권(저당권, 가등기담보권, 양도담보권)의 말소등기의무는 동시이행관계에 있지 않다.

29

甲은 X건물을 乙에게 매도하고 乙로부터 계약금을 지급받았는데, 그 후 甲과 乙의 귀책사유 없이 X건물이 멸실되었다. 다음 설명 중 옳은 것을 모두 고른 것은? (다툼이 있으면 판례에 따름)

기본서 p.232~237

ㄱ 甲은 乙에게 잔대금의 지급을 청구할 수 있다.
ㄴ 乙은 甲에게 계약금의 반환을 청구할 수 있다.
ㄷ 만약 乙의 수령지체 중에 甲과 乙의 귀책사유 없이 X건물이 멸실된 경우, 乙은 甲에게 계약금의 반환을 청구할 수 있다.

① ㄴ
② ㄷ
③ ㄱ, ㄴ
④ ㄱ, ㄷ
⑤ ㄴ, ㄷ

해설 ㄱ 甲은 乙에게 잔대금의 지급을 청구할 수 없다.
ㄷ 乙이 수령을 지체한 경우이므로, 乙은 甲에게 잔대금을 지급해야 한다.

30

매도인 甲과 매수인 乙사이에 매매대금을 丙에게 지급하기로 하는 제3자를 위한 계약을 체결하였고, 丙이 乙에게 수익의 의사표시를 하였다. 다음 설명 중 옳은 것은? (다툼이 있으면 판례에 따름)

기본서 p.244~247

① 乙의 대금채무 불이행이 있는 경우, 甲은 丙의 동의 없이 乙과의 계약을 해제할 수 없다.
② 乙의 기망행위로 甲과 乙의 계약이 체결된 경우, 丙은 사기를 이유로 그 계약을 취소할 수 있다.
③ 甲과 丙의 법률관계가 무효인 경우, 특별한 사정이 없는 한 乙은 丙에게 대금지급을 거절할 수 있다.
④ 乙이 매매대금을 丙에게 지급한 후에 甲과 乙의 계약이 취소된 경우, 乙은 丙에게 부당이득반환을 청구할 수 있다.
⑤ 甲과 乙이 계약을 체결할 때 丙의 권리를 변경시킬 수 있음을 유보한 경우, 甲과 乙은 丙의 권리를 변경시킬 수 있다.

해설 ① 甲은 丙의 동의 없이 계약을 해제할 수 있다.
② 丙은 계약당사자가 아니므로 계약을 취소할 수 없다.
③ 甲과 丙의 법률관계가 무효인 경우에도 甲과 乙의 매매계약은 유효이므로, 乙은 丙에게 대금지급을 거절할 수 없다.
④ 丙은 계약당사자가 아니므로, 乙은 丙에게 부당이득반환을 청구할 수 없다.

Answer

27. ④ 28. ⑤ 29. ① 30. ⑤

31

매도인 甲과 매수인 乙사이의 X주택에 관한 계약이 적법하게 해제된 경우, 해제 전에 이해관계를 맺은 자로서 '계약해제로부터 보호되는 제3자'에 해당하지 않는 자는? (다툼이 있으면 판례에 따름) 기본서 p.253

① 乙의 소유권이전등기청구권을 압류한 자
② 乙의 책임재산이 된 X주택을 가압류한 자
③ 乙명의로 소유권이전등기가 된 X주택에 관하여 저당권을 취득한 자
④ 乙과 매매예약에 따라 소유권이전등기청구권보전을 위한 가등기를 마친 자
⑤ 乙명의로 소유권이전등기가 된 X주택에 관하여 주택임대차보호법상 대항요건을 갖춘 자

해설 ① 乙의 소유권이전등기청구권은 해제되면 소멸하는 채권이므로, 소유권이전등기청구권을 압류한 자는 해제로부터 보호되는 제3자에 해당하지 않는다.

32

乙은 甲소유 X토지를 매수하고 계약금을 지급한 후 X토지를 인도받아 사용 · 수익하고 있다. 다음 설명 중 틀린 것은? (다툼이 있으면 판례에 따름) 기본서 p.258~272

① 계약이 채무불이행으로 해제된 경우, 乙은 甲에게 X토지와 그 사용이익을 반환할 의무가 있다.
② 계약이 채무불이행으로 해제된 경우, 甲은 乙로부터 받은 계약금에 이자를 가산하여 반환할 의무를 진다.
③ 甲이 乙의 중도금 지급채무 불이행을 이유로 계약을 해제한 이후에도 乙은 착오를 이유로 계약을 취소할 수 있다.
④ 만약 甲의 채권자가 X토지를 가압류하면, 乙은 이를 이유로 계약을 즉시 해제할 수 있다.
⑤ 만약 乙명의로 소유권이전등기가 된 후 계약이 합의해제 되면, X토지의 소유권은 甲에게 당연히 복귀한다.

해설 ④ 매매계약 후에 매매목적물에 대하여 가압류, 압류, 가처분, 가등기가 경료된 경우에도 소유권이전이 불가능하게 된 것은 아니므로, 매수인은 이러한 사유만으로는 매도인의 계약위반을 이유로 계약을 해제할 수는 없다.

33 **건물소유를 목적으로 하는 토지임차인의 지상물매수청구권에 관한 설명으로 옳은 것은?** (다툼이 있으면 판례에 따름) 기본서 p.273~280

① 지상 건물을 타인에게 양도한 임차인도 매수청구권을 행사할 수 있다.
② 임차인은 저당권이 설정된 건물에 대해서는 매수청구권을 행사할 수 없다.
③ 토지소유자가 아닌 제3자가 토지를 임대한 경우, 임대인은 특별한 사정이 없는 한 매수청구권의 상대방이 될 수 없다.
④ 임대인이 임차권 소멸 당시에 이미 토지소유권을 상실하였더라도 임차인은 그에게 매수청구권을 행사할 수 있다.
⑤ 기간의 정함이 없는 임대차에서 임대인의 해지통고에 의하여 임차권이 소멸된 경우, 임차인은 매수청구권을 행사할 수 없다.

해설 ① 건물을 타인에게 양도한 임차인은 매수청구권을 행사할 수 없다.
② 건물에 저당권이 설정된 경우에도 임차인은 매수청구권을 행사할 수 있다.
④ 임대인이 임차권 소멸 당시에 이미 토지소유권을 상실하였다면 임차인은 그에게 매수청구권을 행사할 수 없다.
⑤ 기간의 정함이 없는 임대차에서 임대인의 해지통고에 의하여 임차권이 소멸된 경우에는 임차인은 즉시 매수청구권을 행사할 수 있다.

34 **甲은 자신의 X주택을 보증금 2억원, 월차임 50만원으로 乙에게 임대하였는데, 乙이 전입신고 후 X주택을 점유·사용하면서 차임을 연체하다가 계약이 종료되었다. 계약 종료 전에 X주택의 소유권이 매매를 원인으로 丙에게 이전되었다. 다음 설명 중 틀린 것은?** (다툼이 있으면 판례에 따름) 기본서 p.281~287

① 특별한 사정이 없는 한 丙이 임대인의 지위를 승계한 것으로 본다.
② 연체차임에 대한 지연손해금의 발생종기는 특별한 사정이 없는 한 X주택이 반환되는 때이다.
③ 丙은 甲의 차임채권을 양수하지 않았다면 X주택을 반환받을 때 보증금에서 이를 공제할 수 없다.
④ X주택을 반환할 때까지 잔존하는 甲의 차임채권은 압류가 되었더라도 보증금에서 당연히 공제된다.
⑤ X주택을 반환하지 않으면, 특별한 사정이 없는 한 乙은 보증금이 있음을 이유로 연체차임의 지급을 거절할 수 없다.

해설 ③ 임차건물의 양수인이 건물 소유권을 취득한 후 임대차관계가 종료되어 임차인에게 임대차보증금을 반환해야 하는 경우에는, 임대인의 지위를 승계하기 전까지 발생한 연체차임이나 관리비 등은 그에 관하여 채권양도의 요건을 갖추지 않았다고 하더라도 임대차보증금에서 당연히 공제된다(대판 2017.10.12, 2016다277880).

Answer
31. ① 32. ④ 33. ③ 34. ③

35

임차인 乙은 임대인 甲에게 2024. 3. 10.로 기간이 만료되는 X주택의 임대차계약에 대해 주택임대차보호법에 따라 갱신요구 통지를 하여 그 통지가 2024. 1. 5. 甲에게 도달하였고, 甲이 갱신거절 통지를 하지 않아 계약이 갱신되었다. 그 후 乙이 갱신된 계약기간이 개시되기 전인 2024. 1. 29. 갱신된 임대차계약의 해지를 통지하여 2024. 1. 30. 甲에게 도달하였다. 임대차계약의 종료일은? (다툼이 있으면 판례에 따름)

기본서 p.290~305

① 2024. 1. 30.

② 2024. 3. 10.

③ 2024. 4. 30.

④ 2024. 6. 10.

⑤ 2026. 3. 10.

해설 ③ 임차인의 계약갱신요구에 따라 갱신의 효력이 발생한 경우, 임차인은 언제든지 계약의 해지통지를 할 수 있고, 해지통지 후 3개월이 지나면 그 효력이 발생하며, 이는 계약해지의 통지가 갱신된 임대차계약 기간이 개시되기 전에 임대인에게 도달하였더라도 마찬가지이다(대판 2024.1.11, 2023다258672).

36

집합건물의 소유 및 관리에 관한 법률상 관리인에 관한 설명으로 틀린 것은?

기본서 p.334~339

① 관리인은 구분소유자여야 한다.

② 관리인은 공용부분의 보존행위를 할 수 있다.

③ 관리인의 임기는 2년의 범위에서 규약으로 정한다.

④ 관리인은 규약에 달리 정한 바가 없으면 관리위원회의 위원이 될 수 없다.

⑤ 관리인의 대표권은 제한할 수 있지만, 이를 선의의 제3자에게 대항할 수 없다.

해설 ① 관리인은 구분소유자임을 요하지 않는다.

37

甲은 乙에게 무이자로 빌려준 1억원을 담보하기 위해, 丙명의의 저당권(피담보채권 5,000만원)**이 설정된 乙소유의 X건물**(시가 2억원)**에 관하여 담보가등기를 마쳤고, 乙은 변제기가 도래한 甲에 대한 차용금을 지급하지 않고 있다. 다음 설명 중 틀린 것은?** (다툼이 있으면 판례에 따름) 기본서 p.316~323

① 甲이 귀속정산절차에 따라 적법하게 X건물의 소유권을 취득하면 丙의 저당권은 소멸한다.

② 甲이 乙에게 청산금을 지급하지 않고 자신의 명의로 본등기를 마친 경우, 그 등기는 무효이다.

③ 甲의 청산금지급채무와 乙의 가등기에 기한 본등기 및 X건물 인도채무는 동시이행관계에 있다.

④ 경매절차에서 丁이 X건물의 소유권을 취득하면 특별한 사정이 없는 한 甲의 가등기담보권은 소멸한다.

⑤ 만약 청산금이 없는 경우, 적법하게 실행통지를 하여 2개월의 청산기간이 지나면 청산절차의 종료와 함께 X건물에 대한 사용·수익권은 甲에게 귀속된다.

해설 ① 甲이 X건물의 소유권을 취득하더라도 丙의 선순위저당권은 소멸하지 않는다.

38

甲은 친구 乙과의 명의신탁약정에 따라 2024. 3. 5. 자신의 X부동산을 乙명의로 소유권이전등기를 해 주었고, 그 후 乙은 丙에게 이를 매도하고 丙명의로 소유권이전등기를 해 주었다. 다음 설명 중 옳은 것은? (다툼이 있으면 판례에 따름) 기본서 p.324~332

① 甲은 乙을 상대로 불법행위로 인한 손해배상을 청구할 수 있다.

② 甲과 乙의 명의신탁약정으로 인해 乙과 丙의 매매계약은 무효이다.

③ 甲은 丙을 상대로 X부동산에 관한 소유권이전등기말소를 청구할 수 있다.

④ 甲은 乙을 상대로 명의신탁약정 해지를 원인으로 하는 소유권이전등기를 청구할 수 있다.

⑤ 만약 乙이 X부동산의 소유권을 丙으로부터 다시 취득한다면, 甲은 乙을 상대로 소유권에 기하여 이전등기를 청구할 수 있다.

해설 ② 乙과 丙의 매매계약은 유효이다.
③ 丙이 소유권을 취득하므로, 甲은 丙을 상대로 X부동산에 관한 소유권이전등기말소를 청구할 수 없다.
④ 명의신탁약정이 무효이므로, 甲은 乙을 상대로 명의신탁약정 해지를 원인으로 하는 소유권이전등기를 청구할 수 없다.
⑤ 丙이 소유권을 취득함으로 인하여 甲은 소유권을 상실했으므로, 乙이 X부동산의 소유권을 다시 취득하더라도, 甲은 乙을 상대로 소유권에 기하여 이전등기를 청구할 수 없다.

Answer

35. ③ 36. ① 37. ① 38. ①

39 **임차인 乙은 甲소유의 X상가건물에 관하여 월차임 200만원, 기간 2023. 5. 24. ~ 2024. 5. 23.로 하는 임대차계약을 甲과 체결하였고, 기간만료 14일 전인 2024. 5. 9. 갱신거절의 통지를 하여 다음날 甲에게 도달하였다. 임대차계약의 종료일은?** (다툼이 있으면 판례에 따름) 기본서 p.306~314

① 2024. 5. 10.
② 2024. 5. 23.
③ 2024. 8. 23.
④ 2024. 11. 23.
⑤ 2025. 5. 23.

해설 ② 상가임차인이 임대차기간이 만료되기 6개월 전부터 1개월 전까지 사이에 별다른 조치를 취하지 않고 있다가 임대차기간 만료 1개월 전부터 만료일 사이에 갱신거절의 통지를 한 경우에는 해당 임대차계약은 묵시적 갱신이 인정되지 않고 임대차기간의 만료일에 종료한다고 보아야 한다(대판 2024.6.27, 2023다307024).

40 **상가건물임대차보호법이 적용되는 X건물에 관하여 임대인 甲과 임차인 乙이 보증금 3억원, 월차임 60만원으로 정하여 체결한 임대차가 기간만료로 종료되었다. 그런데 甲이 乙에게 보증금을 반환하지 않아서 乙이 현재 X건물을 점유 · 사용하고 있다. 다음 설명 중 옳은 것은?** (다툼이 있으면 판례에 따름) 기본서 p.306~314

① 甲은 乙에게 불법행위로 인한 손해배상을 청구할 수 있다.
② 乙은 甲에 대해 채무불이행으로 인한 손해배상의무를 진다.
③ 甲은 乙에게 차임에 상당하는 부당이득반환을 청구할 수 있다.
④ 甲은 乙에게 종전 임대차계약에서 정한 차임의 지급을 청구할 수 있다.
⑤ 乙은 보증금을 반환받을 때까지 X건물에 대해 유치권을 행사할 수 있다.

해설 ③④ 상가건물임대차보호법이 적용되는 임대차가 종료된 경우, 보증금을 반환받을 때까지 임차 목적물을 계속 점유하면서 사용 · 수익한 임차인은 종전 임대차계약에서 정한 차임을 지급할 의무를 부담할 뿐이고, 시가에 따른 차임에 상응하는 부당이득금을 지급할 의무를 부담하는 것은 아니다(대판 2023.11.9, 2023다257600).

Answer
39. ② 40. ④

공인중개사법 · 중개실무

시 / 험 / 총 / 평

제35회 시험의 전체적인 난이도는 제34회 시험과 비슷한 수준으로 출제되었다고 볼 수 있다. 특이한 점은 제1편 공인중개사법령에서 20문제, 제2편 부동산 거래신고 등에 관한 법령에서 7문제, 제3편 중개실무에서 13문제가 출제되어 2편과 3편의 중개실무에 해당하는 분야의 비중이 예년과 달리 매우 높게 출제되었다는 점이다. 그리고 시험범위를 벗어난 민법 및 민사특별법, 집합건물의 소유 및 관리에 관한 법률 분야에서 문제가 출제되어 체감 난이도를 높였다.

01

공인중개사법령상 공인중개사 정책심의위원회(이하 "위원회"라 함)**에 관한 설명으로 옳은 것은?**

기본서 p.51~53

① 위원회는 국무총리 소속으로 한다.

② 손해배상책임의 보장에 관한 사항은 위원회의 심의사항에 해당하지 않는다.

③ 위원회 위원장은 위원이 제척사유에 해당하는 데에도 불구하고 회피하지 아니한 경우에는 해당 위원을 해촉할 수 있다.

④ 위원회에서 심의한 중개보수 변경에 관한 사항의 경우 시 · 도지사는 이에 따라야 한다.

⑤ 국토교통부장관이 직접 공인중개사자격시험을 시행하려는 경우에는 위원회의 의결을 미리 거쳐야 한다.

해설 ① 국토교통부에 정책심의위원회를 둘 수 있다(임의적 기구).
② 심의 사항이다.
③ 국토교통부장관은 위원이 제척사유에 해당하는 데에도 불구하고 회피하지 아니한 경우에는 해당 위원을 해촉(解囑)할 수 있다.
④ 공인중개사 정책심의위원회에서 심의한 사항 중에 공인중개사의 시험 등 공인중개사의 자격취득에 관한 사항의 경우에는 "시 · 도지사"는 이에 따라야 한다.

Answer
01. ⑤

02

공인중개사법령상 법인인 개업공인중개사가 중개업과 함께 할 수 없는 업무는? (단, 다른 법률의 규정은 고려하지 않음)

기본서 p.121~123

① 주택의 임대업
② 상업용 건축물의 분양대행
③ 부동산의 이용·개발 및 거래에 관한 상담
④ 중개의뢰인의 의뢰에 따른 도배·이사업체의 소개
⑤ 개업공인중개사를 대상으로 한 중개업의 경영기법 및 경영정보의 제공

해설 ① 주택 및 상가 건축물의 임대업이나 매매업은 불가하다.
법인인 개업공인중개사는 다른 법률에 규정된 경우를 제외하고는 중개업 및 다음의 업무를 함께 할 수 있다.

1. 상업용 건축물 및 주택의 임대관리 등 부동산의 관리대행
2. 부동산의 이용·개발 및 거래에 관한 상담
3. 개업공인중개사를 대상으로 한 중개업의 경영기법 및 경영정보의 제공
4. 상업용 건축물 및 주택의 분양대행
5. 그 밖에 중개업에 부수되는 업무로서 중개의뢰인의 의뢰에 따른 도배·이사업체의 소개 등 주거이전에 부수되는 용역의 알선하는 업무
6. 개업공인중개사는 「민사집행법」에 의한 경매 및 「국세징수법」 그 밖의 법령에 의한 공매대상 부동산에 대한 권리분석 및 취득의 알선과 매수신청 또는 입찰신청의 대리를 할 수 있다.

03

공인중개사법령상 개업공인중개사의 휴업의 신고 등에 관한 설명으로 틀린 것은?

기본서 p.136~137

① 법인인 개업공인중개사가 4개월간 분사무소의 휴업을 하려는 경우 휴업신고서에 그 분사무소설치 신고확인서를 첨부하여 분사무소의 휴업신고를 해야 한다.
② 개업공인중개사가 신고한 휴업기간을 변경하려는 경우 휴업기간 변경신고서에 중개사무소등록증을 첨부하여 등록관청에 미리 신고해야 한다.
③ 관할 세무서장이 「부가가치세법 시행령」에 따라 공인중개사법령상의 휴업신고서를 함께 받아 이를 해당 등록관청에 송부한 경우에는 휴업신고서가 제출된 것으로 본다.
④ 등록관청은 개업공인중개사가 대통령령으로 정하는 부득이한 사유가 없음에도 계속하여 6개월을 초과하여 휴업한 경우 중개사무소의 개설등록을 취소할 수 있다.
⑤ 개업공인중개사가 휴업한 중개업을 재개하고자 등록관청에 중개사무소재개신고를 한 경우 해당 등록관청은 반납 받은 중개사무소등록증을 즉시 반환해야 한다.

해설 ② 3개월을 초과하는 휴업·폐업은 반드시 등록증을 첨부하여 사전에 방문하여 신고하나, 휴업기간 변경신고는 변경신고서에 의해 등록관청에 미리 신고하여야 한다. 따라서, 등록증을 첨부할 수 없으니 방문 또는 전자신고 모두 가능하다.

04 공인중개사법령상 공인중개사인 개업공인중개사 甲과 그에 소속된 소속공인중개사 乙에 관한 설명으로 틀린 것을 모두 고른 것은? 기본서 p.237~239, 406

> ㉠ 甲과 乙은 실무교육을 받은 후 2년마다 등록관청이 실시하는 연수교육을 받아야 한다.
> ㉡ 甲이 중개를 의뢰받아 乙의 중개행위로 중개가 완성되어 중개대상물 확인·설명서를 작성하는 경우 乙은 甲과 함께 그 확인·설명서에 서명 또는 날인하여야 한다.
> ㉢ 乙이 甲과의 고용관계 종료 신고 후 1년 이내에 중개사무소의 개설등록을 신청한 경우 개설등록 후 1년 이내에 실무교육을 받아야 한다.

① ㉠ ② ㉡ ③ ㉠, ㉢
④ ㉡, ㉢ ⑤ ㉠, ㉡, ㉢

해설 ㉠ 실무교육을 받은 개업공인중개사 및 소속공인중개사는 실무교육을 받은 후 2년마다 시·도지사가 실시하는 연수교육을 받아야 한다(법 제34조 제4항).
㉡ 개업공인중개사(법인인 경우에는 대표자, 분사무소의 책임자)가 서명 및 날인하되 해당 중개행위를 한 소속공인중개사가 있는 경우에는 소속공인중개사가 함께 서명 및 날인하여야 한다(법 제25조 제4항).
㉢ 소속공인중개사 乙이 고용관계 종료 신고 후 1년 이내에 중개사무소의 개설등록을 신청하려는 경우나 고용관계 종료 신고 후 1년 이내에 고용 신고를 다시 하려는 경우는 실무교육을 받지 않아도 된다.

PART 03

Answer
02. ① 03. ② 04. ⑤

05 공인중개사법령상 고용인의 신고 등에 관한 설명으로 옳은 것은?

기본서 p.126

① 등록관청은 중개보조원의 고용 신고를 받은 경우 이를 공인중개사협회에 통보하지 않아도 된다.

② 개업공인중개사는 소속공인중개사를 고용한 경우에는 소속공인중개사가 업무를 개시한 날부터 10일 이내에 등록관청에 신고하여야 한다.

③ 개업공인중개사가 고용할 수 있는 중개보조원의 수는 개업공인중개사와 소속공인중개사를 합한 수의 5배를 초과하여서는 아니 된다.

④ 개업공인중개사는 소속공인중개사와의 고용관계가 종료된 때에는 고용관계가 종료된 날부터 30일 이내에 등록관청에 신고하여야 한다.

⑤ 소속공인중개사에 대한 고용 신고를 받은 등록관청은 공인중개사협회에게 그 소속공인중개사의 공인중개사 자격 확인을 요청하여야 한다.

해설 ① 협회에 통보할 사항이다.
② 개업공인중개사는 소속공인중개사 또는 중개보조원을 고용한 경우에는 교육을 받도록 한 후 업무개시 전까지 등록관청에 신고(전자문서에 의한 신고를 포함한다)하여야 한다.
④ 10일 이내에 등록관청에 신고하여야 한다.
⑤ 등록관청은 자격증을 발급한 시・도지사에게 그 소속공인중개사의 자격 확인을 요청하여야 한다.

06 공인중개사법령상 부동산거래질서교란행위에 해당하지 않는 것은?

기본서 p.247

① 공인중개사자격증 양도를 알선한 경우

② 중개보조원이 중개업무를 보조하면서 중개의뢰인에게 본인이 중개보조인이라는 사실을 미리 알리지 않은 경우

③ 개업공인중개사가 중개행위로 인한 손해배상책임을 보장하기 위하여 가입해야 하는 보증보험이나 공제에 가입하지 않은 경우

④ 개업공인중개사가 동일한 중개대상물에 대한 하나의 거래를 완성하면서 서로 다른 둘 이상의 거래계약서를 작성한 경우

⑤ 개업공인중개사가 거래당사자 쌍방을 대리한 경우

해설 ③ "업무보증설정제도"는 부동산거래질서교란행위에 해당되지 않는다.
누구든지 다음의 "부동산거래질서교란행위"를 발견하는 경우 그 사실을 신고센터(한국부동산원)에 신고(서면 또는 전자문서)할 수 있다.

1. 자격증 및 등록증 양도 · 대여금지, 유사명칭의 사용금지, 중개사무소개설등록, 중개보조원의 고지의무, 중개보조원 5배 초과 고용금지, 제33조 제1항 제2항 금지행위, 업무상 비밀준수, 법인의 겸업제한 위반, 게시의무, 문자사용, 중개대상물 확인, 설명위반, 주택임대차 중개시 설명의무를 위반
2. 2중등록금지, 2중소속금지, 2중사무소설치금지, 임시중개시설물, 2중계약서 작성을 위반하는 행위 또는 거짓 · 부정하게 등록한 자
3. 부동산거래신고 위반, 부동산거래의 해제등신고 또는 금지행위(거짓신고 요구, 거짓신고 조장 · 방조, 의무 아닌 자가 거짓신고, 가장 매매 또는 해제신고)를 위반

07

공인중개사법령상 개업공인중개사가 다음의 행위를 하기 위하여 법원에 등록해야 하는 것을 모두 고른 것은? (단, 법 제7638호 부칙 제6조 제2항은 고려하지 않음) 기본서 p.120

㉠ 「민사집행법」에 의한 경매대상 부동산의 매수신청의 대리
㉡ 「국세징수법」에 의한 공매대상 부동산의 입찰신청의 대리
㉢ 중개행위에 사용할 인장의 변경
㉣ 중개행위로 인한 손해배상책임을 보장하기 위한 보증보험의 가입

① ㉠
② ㉠, ㉡
③ ㉡, ㉣
④ ㉠, ㉡, ㉢
⑤ ㉠, ㉢, ㉣

해설 ㉠ 개업공인중개사가 경매대상 부동산의 매수신청 또는 입찰신청의 대리를 하고자 하는 때에는 법원에 등록을 하고 그 감독을 받아야 한다.
㉡ 개업공인중개사는 공매대상 부동산에 대한 권리분석 취득의 알선과 매수신청 또는 입찰신청의 대리는 법원 등록 없이 할 수 있다.
㉢㉣ 법원에 등록할 사항이 아니다.

Answer
05. ③ 06. ③ 07. ①

08 공인중개사법령상 소속공인중개사를 둔 개업공인중개사가 중개사무소 안의 보기 쉬운 곳에 게시하여야 하는 것을 모두 고른 것은? 기본서 p.80

ㄱ 소속공인중개사의 공인중개사자격증 원본
ㄴ 보증의 설정을 증명할 수 있는 서류
ㄷ 소속공인중개사의 고용신고서
ㄹ 개업공인중개사의 실무교육 수료확인증

① ㄱ, ㄴ　② ㄱ, ㄹ　③ ㄴ, ㄷ
④ ㄷ, ㄹ　⑤ ㄱ, ㄴ, ㄹ

해설 ㄷㄹ 중개사무소 안의 보기 쉬운 곳에 게시하여야 할 사항이 아니다.

게시사항

1. 등록증 원본(분사무소는 신고확인서 원본)
2. 개업공인중개사 및 소속공인중개사의 자격증 원본
3. 중개보수 및 실비의 요율 및 한도액 표
4. 사업자등록증
5. 업무보증 설정 증명증서

단, 실무교육이수증, 협회회원 등록증, 고용신고서 등은 게시사항이 아니다.

09 공인중개사법령상 중개사무소의 개설등록에 관한 설명으로 틀린 것은? 기본서 p.73~75, 96

① 금고 이상의 형의 집행유예를 받고 그 유예기간이 만료된 날부터 2년이 지나지 아니한 자는 개설등록을 할 수 없다.
② 공인중개사협회는 매월 중개사무소의 등록에 관한 사항을 중개사무소등록・행정처분등통지서에 기재하여 다음 달 10일까지 시・도지사에게 통보하여야 한다.
③ 외국에 주된 영업소를 둔 법인의 경우에서는 「상법」상 외국회사 규정에 따른 영업소의 등기를 증명할 수 있는 서류를 제출하여야 한다.
④ 개설등록의 신청을 받은 등록관청은 개업공인중개사의 종별에 따라 구분하여 개설등록을 하고, 개설등록 신청을 받은 날부터 7일 이내에 등록신청인에게 서면으로 통지하여야 한다.
⑤ 공인중개사인 개업공인중개사가 법인인 개업공인중개사로 업무를 하고자 개설등록신청서를 다시 제출하는 경우 종전의 등록증은 이를 반납하여야 한다.

해설 ② 등록관청은 매월 중개사무소의 등록・행정처분 및 신고 등에 관한 사항을 중개사무소등록・행정처분등통지서에 기재하여 다음 달 10일까지 공인중개사협회에 통보하여야 한다(규칙 제6조).

10 공인중개사법령상 개업공인중개사와 중개의뢰인의 중개계약에 관한 설명으로 틀린 것은?

기본서 p.142~152

① 일반중개계약은 계약서의 작성 없이도 체결할 수 있다.
② 전속중개계약을 체결하면서 유효기간을 3개월 미만으로 약정한 경우 그 유효기간은 3개월로 한다.
③ 전속중개계약을 체결한 개업공인중개사는 중개대상물의 권리자의 인적 사항에 관한 정보를 공개해서는 안 된다.
④ 중개의뢰인은 일반중개계약을 체결하면서 거래예정가격을 포함한 일반중개계약서의 작성을 요청할 수 있다.
⑤ 임대차에 대한 전속중개계약을 체결한 개업공인중개사는 중개의뢰인의 비공개 요청이 없어도 중개대상물의 공시지가를 공개하지 아니할 수 있다.

해설 ② 3개월을 원칙으로 하되 별도의 약정이 있으면 약정이 우선한다. 따라서, 당사자 간에 2개월로 약정한 경우는 2개월이 유효기간이 된다.

11 공인중개사법령상 부동산거래정보망의 지정 및 이용에 관한 설명으로 옳은 것은?

기본서 p.153~159

① 「전기통신사업법」의 규정에 의한 부가통신사업자가 아니어도 국토교통부령으로 정하는 요건을 갖추면 거래정보사업자로 지정받을 수 있다.
② 거래정보사업자로 지정받으려는 자는 공인중개사의 자격을 갖추어야 한다.
③ 거짓이나 그 밖의 부정한 방법으로 거래정보사업자로 지정받은 경우 그 지정은 무효이다.
④ 법인인 거래정보사업자의 해산으로 부동산거래정보망의 계속적인 운영이 불가능한 경우 국토교통부장관은 청문 없이 그 지정을 취소할 수 있다.
⑤ 부동산거래정보망에 정보가 공개된 중개대상물의 거래가 완성된 경우 개업공인중개사는 3개월 이내에 해당 거래정보사업자에게 이를 통보하여야 한다.

해설 ① 지정을 받을 수 있는 자는 「전기통신사업법」의 규정에 의한 부가통신사업자로서 국토교통부령으로 정하는 요건을 갖춘 자로 한다.
② 공인중개사의 자격을 요하지 않으며, 개인 개업공인중개사, 일반인, 법인사업자도 지정받을 수 있다.
③ 국토교통부장관은 청문을 거쳐 그 지정을 취소할 수 있다.
⑤ 개업공인중개사는 부동산거래정보망에 중개대상물에 관한 정보를 거짓으로 공개하여서는 아니되며, 해당 중개대상물의 거래가 완성된 때에는 지체 없이 이를 해당 거래정보사업자에게 통보하여야 한다(법 제24조 제7항).

Answer

08. ① 09. ② 10. ② 11. ④

12 **공인중개사법령상 개업공인중개사가 계약금 등을 금융기관에 예치하도록 거래당사자에게 권고하는 경우 예치명의자가 될 수 없는 자는?** 기본서 p.207

① 개업공인중개사
② 거래당사자 중 일방
③ 부동산 거래계약의 이행을 보장하기 위하여 계약 관련서류 및 계약금 등을 관리하는 업무를 수행하는 전문회사
④ 국토교통부장관의 승인을 얻어 공제사업을 하는 공인중개사협회
⑤ 「은행법」에 따른 은행

해설 ② 거래당사자, 소속공인중개사, 중개보조원은 예치명의자가 될 수 없다.
예치명의자: 개업공인중개사 또는 은행, 공제사업자, 신탁업자, 보험회사, 계약금 등 및 계약 관련 서류를 관리하는 업무를 수행하는 전문회사, 체신관서이다.

13 **공인중개사법령상 누구든지 시세에 부당한 영향을 줄 목적으로 개업공인중개사 등의 업무를 방해해서는 아니 되는 행위를 모두 고른 것은?** 기본서 p.174~175

㉠ 중개의뢰인과 직접 거래를 하는 행위
㉡ 안내문, 온라인 커뮤니티 등을 이용하여 특정 가격 이하로 중개를 의뢰하지 아니하도록 유도하는 행위
㉢ 정당한 사유 없이 개업공인중개사 등의 중개대상물에 대한 정당한 표시·광고행위를 방해하는 행위
㉣ 단체를 구성하여 특정 중개대상물에 대하여 중개를 제한하거나 단체 구성원 이외의 자와 공동중개를 제한하는 행위

① ㉠, ㉢ ② ㉠, ㉣ ③ ㉡, ㉢ ④ ㉠, ㉡, ㉣ ⑤ ㉡, ㉢, ㉣

해설 ③ 누구든지 시세에 부당한 영향을 줄 목적으로 다음 각 호의 어느 하나의 방법으로 개업공인중개사 등의 업무를 방해해서는 아니 된다(법 제33조 제2항).

1. 안내문, 온라인 커뮤니티 등을 이용하여 특정 개업공인중개사 등에 대한 중개의뢰를 제한하거나 제한을 유도하는 행위
2. 안내문, 온라인 커뮤니티 등을 이용하여 중개대상물에 대하여 시세보다 현저하게 높게 표시·광고 또는 중개하는 특정 개업공인중개사 등에게만 중개의뢰를 하도록 유도함으로써 다른 개업공인중개사 등을 부당하게 차별하는 행위
3. 안내문, 온라인 커뮤니티 등을 이용하여 특정 가격 이하로 중개를 의뢰하지 아니하도록 유도하는 행위
4. 정당한 사유 없이 개업공인중개사 등의 중개대상물에 대한 정당한 표시·광고 행위를 방해하는 행위
5. 개업공인중개사 등에게 중개대상물을 시세보다 현저하게 높게 표시·광고하도록 강요하거나 대가를 약속하고 시세보다 현저하게 높게 표시·광고하도록 유도하는 행위

㉠㉣ 법 제33조 제1항에 해당하는 개업공인중개사 등의 금지행위에 해당하는 내용이다.

14 공인중개사법령상 다음의 행위를 한 자에 대하여 3년의 징역에 처할 수 있는 경우는?

기본서 p.273~274

① 거짓이나 그 밖의 부정한 방법으로 중개사무소의 개설등록을 한 경우
② 공인중개사가 다른 사람에게 자기의 성명을 사용하여 중개업무를 하게 한 경우
③ 등록관청의 관할 구역 안에 2개의 중개사무소를 둔 경우
④ 개업공인중개사가 천막 그 밖에 이동이 용이한 임시 중개시설물을 설치한 경우
⑤ 공인중개사가 아닌 자로서 공인중개사 또는 이와 유사한 명칭을 사용한 경우

해설 ① 3년 이하의 징역 또는 3천만원 이하의 벌금형에 해당된다.
②③④⑤는 모두 1년 이하의 징역 또는 1천만원 이하의 벌금형에 해당된다.

15 공인중개사법령상 중개보수 등에 관한 설명으로 틀린 것은?

기본서 p.212~221

① 개업공인중개사의 중개업무상 과실로 인하여 중개의뢰인 간의 거래행위가 무효가 된 경우 개업공인중개사는 중개의뢰인으로부터 소정의 보수를 받을 수 없다.
② 주택의 중개에 대한 보수는 중개의뢰인 쌍방으로부터 각각 받되, 그 금액은 시・도의 조례로 정하는 요율한도 이내에서 중개의뢰인과 개업공인중개사가 서로 협의하여 결정한다.
③ 중개보수의 지급시기는 개업공인중개사와 중개의뢰인 간의 약정에 따르되, 약정이 없을 때에는 중개대상물의 거래대금 지급이 완료된 날로 한다.
④ 중개대상물인 주택의 소재지와 중개사무소의 소재지가 다른 경우 중개보수는 중개대상물의 소재지를 관할하는 시・도의 조례에서 정한 기준에 따라야 한다.
⑤ 개업공인중개사는 중개의뢰인으로부터 중개대상물의 권리관계 등의 확인에 소요되는 실비를 받을 수 있다.

해설 ④ 중개대상물의 소재지와 중개사무소의 소재지가 다른 경우, 개업공인중개사는 중개사무소의 소재지를 관할하는 시・도의 조례에서 정한 기준에 따라 보수 및 실비를 받아야 한다.

Answer

12. ② 13. ③ 14. ① 15. ④

16

공인중개사법령상 개업공인중개사 업무정지의 기준에서 개별기준에 따른 업무정지기간이 6개월인 것은? 기본서 p.259~269

① 인장등록을 하지 않거나 등록하지 않은 인장을 사용한 경우
② 거래정보사업자에게 공개를 의뢰한 중개대상물의 거래가 완성된 사실을 그 거래정보사업자에게 통보하지 않은 경우
③ 부동산거래정보망에 중개대상물에 관한 정보를 거짓으로 공개한 경우
④ 중개대상물 확인·설명서를 보존기간 동안 보존하지 않은 경우
⑤ 법령상의 전속중개계약서 서식에 따르지 않고 전속중개계약을 체결한 경우

해설 ①②④⑤는 개별기준에 따른 업무정지기간이 3개월이다.
③ 개별기준에 따른 업무정지기간이 6개월에 해당하는 내용은 다음과 같다.

위반 행위	기 간
1. 최근 1년 이내에 이 법에 따라 2회 이상 업무정지 또는 과태료의 처분을 받고 다시 과태료 처분에 해당하는 행위를 한 경우	6개월
2. 임의적 등록취소의 각 호의 하나를 최근 1년 이내에 1회 위반한 경우	6개월
3. 결격사유자인 소속공인중개사 또는 중개보조원으로 둔 경우. 다만, 사유가 발생한 날부터 2개월 이내에 사유를 해소한 경우는 해당되지 않는다.	6개월
4. 중개대상물에 관한 정보를 거짓으로 공개한 경우	6개월

17

공인중개사법령상 공인중개사인 개업공인중개사의 중개사무소 개설등록 취소사유에 해당하지 않는 경우는? 기본서 p.259~261

① 중개대상물 확인·설명서를 교부하지 아니한 경우
② 거짓으로 중개사무소의 개설등록을 한 경우
③ 업무정지기간 중에 중개업무를 한 경우
④ 공인중개사인 개업공인중개사가 개업공인중개사인 법인의 사원·임원이 된 경우
⑤ 개업공인중개사가 사망한 경우

해설 ① 업무정지 사유에 해당된다.
②③④⑤는 모두 절대적 등록취소 사유에 해당된다.

절대적 등록취소사유

1. 개인인 개업공인중개사가 사망하거나 개업공인중개사인 법인이 해산한 경우
2. 거짓이나 그 밖의 부정한 방법으로 중개사무소의 개설등록을 한 경우
3. 결격사유에 해당하게 된 경우. 다만, 같은 항 제12호에 따른 결격사유에 해당하는 경우로서 그 사유가 발생한 날부터 2개월 이내에 그 사유를 해소한 경우는 그러하지 아니하다.
4. 이중으로 중개사무소의 개설등록을 한 경우
5. 다른 개업공인중개사의 소속공인중개사·중개보조원 또는 개업공인중개사인 법인의 사원·임원이 된 경우

> 5의2. 개업공인중개사와 소속공인중개사를 합한 수의 5배를 초과하여 중개보조원을 고용한 경우
> 6. 다른 사람에게 자기의 성명 또는 상호를 사용하여 중개업무를 하게 하거나 중개사무소등록증을 양도 또는 대여한 경우
> 7. 업무정지기간 중에 중개업무를 하거나 자격정지처분을 받은 소속공인중개사로 하여금 자격정지기간 중에 중개업무를 하게 한 경우
> 8. 최근 1년 이내에 이 법에 의하여 2회 이상 업무정지처분을 받고 다시 업무정지처분에 해당하는 행위를 한 경우

PART 03

18 공인중개사법령상 국토교통부장관이 공인중개사협회의 공제사업 운영에 대한 개선조치로서 명할 수 있는 것이 아닌 것은? 기본서 p.234

① 가치가 없다고 인정되는 자산의 손실 처리
② 공제사업의 양도
③ 불건전한 자산에 대한 적립금의 보유
④ 업무집행방법의 변경
⑤ 자산의 장부가격의 변경

해설 ② 공제사업의 양도는 국토교통부장관의 공제사업 운영에 대한 개선조치로서 명할 수 있는 내용에 해당되지 않는다.

개선조치 명령이 가능한 사항

> 1. 자산의 장부가격의 변경
> 2. 자산예탁기관의 변경
> 3. 업무집행 방법의 변경
> 4. 불건전한 자산 적립금의 보유
> 5. 가치 없는 자산 손실 처리

Answer
16. ③ 17. ① 18. ②

19 **공인중개사법령상 개업공인중개사가 중개를 완성한 때에 작성하는 거래계약서에 기재하여야 하는 사항을 모두 고른 것은?** 기본서 p.438~439

> ㉠ 권리이전의 내용
> ㉡ 물건의 인도일시
> ㉢ 계약의 조건이나 기한이 있는 경우에는 그 조건 또는 기한
> ㉣ 중개대상물 확인·설명서 교부일자

① ㉠, ㉣ ② ㉡, ㉢ ③ ㉠, ㉡, ㉢
④ ㉠, ㉡, ㉣ ⑤ ㉠, ㉡, ㉢, ㉣

해설 ㉠㉡㉢㉣은 모두가 거래계약서에 기재하여야 할 사항이다.

필수적 기재사항

> 1. 거래당사자의 인적 사항
> 2. 물건의 표시
> 3. 계약일
> 4. 거래금액(대금)과 계약금액 및 그 지급일자 등 지급에 관한 사항
> 5. 물건의 인도일시
> 6. 권리이전의 내용
> 7. 계약의 조건이나 기한이 있는 경우에는 그 조건 또는 기한
> 8. 중개대상물확인·설명서 교부일자
> 9. 그 밖의 약정내용(특약)

20 **공인중개사법령상 중개대상물 확인·설명서[Ⅱ](비주거용 건축물)에서 개업공인중개사 기본 확인사항이 아닌 것은?** 기본서 p.413~416, 424

① 토지의 소재지, 면적 등 대상물건의 표시
② 소유권 외의 권리사항 등 등기부 기재사항
③ 관리비
④ 입지조건
⑤ 거래예정금액

해설 ③ 주거용 건축물의 중개대상물 확인·설명서에서 개업공인중개사 기본 확인사항에 해당된다. ①②④⑤는 주거용 건축물과 비주거용 건축물의 중개대상물 확인·설명서 모두에서 개업공인중개사 기본 확인사항에 해당된다.

21 공인중개사법령상 공인중개사협회의 업무에 해당하는 것을 모두 고른 것은?

기본서 p.229~230

> ㉠ 회원의 윤리헌장 제정 및 그 실천에 관한 업무
> ㉡ 부동산 정보제공에 관한 업무
> ㉢ 인터넷을 이용한 중개대상물에 대한 표시·광고 모니터링 업무
> ㉣ 회원의 품위유지를 위한 업무

① ㉠, ㉣ ② ㉡, ㉢ ③ ㉠, ㉡, ㉢
④ ㉠, ㉡, ㉣ ⑤ ㉠, ㉡, ㉢, ㉣

해설 ㉠㉡㉣은 모두 공인중개사협회의 고유업무에 해당한다.
㉢ 국토교통부장관은 인터넷을 이용한 중개대상물에 대한 표시·광고가 법 규정을 준수하는지 여부를 모니터링 할 수 있다.

22 부동산 거래신고 등에 관한 법령상 토지거래허가구역(이하 "허가구역"이라 함)의 지정에 관한 설명으로 옳은 것은?

기본서 p.334~336

① 허가구역이 둘 이상의 시·도의 관할구역에 걸쳐 있는 경우 해당 시·도지사가 공동으로 지정한다.
② 토지의 투기적인 거래 성행으로 지가가 급격히 상승하는 등의 특별한 사유가 있으면 7년 이내의 기간을 정하여 허가구역을 지정할 수 있다.
③ 허가구역의 지정은 시장·군수 또는 구청장이 허가구역 지정의 통지를 받은 날부터 5일 후에 그 효력이 발생한다.
④ 허가구역 지정에 관한 공고 내용의 통지를 받은 시장·군수 또는 구청장은 지체 없이 그 공고 내용을 관할 등기소의 장에게 통지해야 한다.
⑤ 허가구역 지정에 관한 공고 내용의 통지를 받은 시장·군수 또는 구청장은 그 사실을 7일 이상 공고해야 하고, 그 공고 내용을 30일간 일반이 열람할 수 있도록 해야 한다.

해설 ① 허가구역이 둘 이상의 시·도의 관할 구역에 걸쳐 있는 경우 국토교통부장관이 지정한다.
② 5년 이내
③ 허가구역의 지정은 국토교통부장관 또는 시·도지사가 허가구역의 지정을 공고한 날부터 5일 후에 그 효력이 발생한다.
⑤ 통지를 받은 시장·군수 또는 구청장은 지체 없이 그 사실을 7일 이상 공고하고, 그 공고 내용을 15일간 일반이 열람할 수 있도록 하여야 한다.

Answer
19. ⑤ 20. ③ 21. ④ 22. ④

23 부동산 거래신고 등에 관한 법령상 부동산 거래계약의 변경신고사항이 아닌 것은?

기본서 p.304~306

① 거래가격
② 공동매수의 경우 매수인의 추가
③ 거래 지분 비율
④ 거래대상 부동산의 면적
⑤ 거래 지분

해설 ② 공동매수의 경우 일부 매수인의 변경, 즉 매수인 중 일부가 제외되는 경우만 해당한다. 따라서, 공동매수의 경우 매수인의 추가 또는 교체의 경우는 변경신고가 불가하다.

거래계약의 변경신고 사항

거래당사자 또는 개업공인중개사는 부동산 거래계약 신고 내용 중 다음 각 호의 어느 하나에 해당하는 사항이 변경된 경우에는 「부동산등기법」에 따른 부동산에 관한 등기신청 전에 신고관청에 신고 내용의 변경을 신고할 수 있다.

1. 거래 지분 비율
2. 거래 지분
3. 거래대상 부동산 등의 면적
4. 계약의 조건 또는 기한
5. 거래가격
6. 중도금 · 잔금 및 지급일
7. 공동매수의 경우 일부 매수인의 변경(매수인 중 일부가 제외되는 경우만 해당한다)
8. 거래대상 부동산 등이 다수인 경우 일부 부동산 등의 변경(거래대상 부동산 등 중 일부가 제외되는 경우만 해당한다)
9. 위탁관리인의 성명, 주민등록번호, 주소 및 전화번호(휴대전화번호를 포함한다)

24 **부동산 거래신고 등에 관한 법령상 주택 임대차계약의 신고에 관한 설명으로 옳은 것은?**
(단, 다른 법률에 따른 신고의 의제는 고려하지 않음) 기본서 p.306~312

① A특별자치시 소재 주택으로서 보증금이 6천만원이고 월 차임이 30만원으로 임대차계약을 신규 체결한 경우 신고 대상이다.

② B소재 주택으로서 보증금이 5천만원이고 월 차임이 40만원으로 임대차계약을 신규 체결한 경우 신고 대상이 아니다.

③ 자연인 甲과 「지방공기업법」에 따른 지방공사 乙이 신고 대상인 주택 임대차계약을 체결한 경우 甲과 乙은 관할 신고관청에 공동으로 신고하여야 한다.

④ C광역시 D군 소재 주택으로서 보증금이 1억원이고 월 차임이 100만원으로 신고된 임대차계약에서 보증금 및 차임의 증감 없이 임대차 기간만 연장하는 갱신계약은 신고 대상이 아니다.

⑤ 개업공인중개사가 신고 대상인 주택 임대차계약을 중개한 경우 해당 개업공인중개사가 신고하여야 한다.

해설 ①④ "대통령령으로 정하는 금액을 초과하는 임대차 계약"이란 보증금이 6천만원을 초과하거나 월 차임이 30만원을 초과하는 주택 임대차 계약(계약을 갱신하는 경우로서 보증금 및 차임의 증감 없이 임대차 기간만 연장하는 계약은 제외한다)을 말한다(영 제4조의3 제1항).
② 보증금 또는 차임 둘 중에 하나만 해당되어도 신고하여야 한다.
③ 임대차계약당사자 중 일방이 국가 등인 경우에는 국가 등인 乙이 신고하여야 한다.
⑤ 임대차계약당사자는 임대차 계약의 체결일부터 30일 이내에 주택 소재지를 관할하는 신고관청에 공동으로 신고하여야 한다. 따라서 개업공인중개사는 신고의무가 없다.

Answer
23. ② 24. ④

25 부동산 거래신고 등에 관한 법령상 부동산거래신고에 관한 설명으로 틀린 것은?

기본서 p.289~306

① 거래당사자 또는 개업공인중개사는 부동산 거래계약 신고 내용 중 거래 지분 비율이 잘못 기재된 경우 신고관청에 신고 내용의 정정을 신청할 수 있다.

② 자연인 甲이 단독으로 「주택법」상 투기과열지구 외에 소재하는 주택을 실제 거래가격 6억원으로 매수한 경우 입주 예정 시기 등 그 주택의 이용계획은 신고사항이다.

③ 법인이 주택의 매수자로서 거래계약을 체결한 경우 임대 등 그 주택의 이용계획은 신고사항이다.

④ 부동산의 매수인은 신고인이 부동산거래계약 신고필증을 발급받은 때에 「부동산등기 특별조치법」에 따른 검인을 받은 것으로 본다.

⑤ 개업공인중개사가 신고한 후 해당 거래계약이 해제된 경우 그 계약을 해제한 거래당사자는 해제가 확정된 날부터 30일 이내에 해당 신고관청에 단독으로 신고하여야 한다.

해설 ⑤ 신고한 후 거래계약이 해제, 무효 또는 취소된 경우 해제 등이 확정된 날부터 30일 이내에 해당 신고관청에 공동으로 신고하여야 한다. 다만, 거래당사자 중 일방이 신고를 거부하는 경우에는 단독으로 신고할 수 있다. 주의할 점은 개업공인중개사는 신고의무가 없고 재량사항이다.

26 부동산 거래신고 등에 관한 법령상 외국인 등의 대한민국 안의 부동산(이하 "국내 부동산"이라 함) 취득에 관한 설명으로 틀린 것은? (단, 상호주의에 따른 제한은 고려하지 않음)

기본서 p.326~332

① 정부 간 기구는 외국인 등에 포함된다.

② 외국의 법령에 따라 설립된 법인이 건축물의 신축으로 국내 부동산을 취득한 때에는 부동산을 취득한 날부터 60일 이내에 신고관청에 취득신고를 하여야 한다.

③ 외국인이 국내 부동산을 취득하는 교환계약을 체결하였을 때에는 계약체결일부터 60일 이내에 신고관청에 취득신고를 하여야 한다.

④ 외국인이 국내 부동산을 매수하기 위하여 체결한 매매계약은 부동산 거래신고의 대상이다.

⑤ 국내 부동산을 가지고 있는 대한민국국민이 외국인으로 변경된 경우 그 외국인이 해당 부동산을 계속보유하려는 때에는 외국인으로 변경된 날부터 6개월 이내에 신고관청에 계속보유신고를 하여야 한다.

해설 ② 부동산을 취득한 날부터 6개월 이내에 신고관청에 취득신고를 하여야 한다.

구 분		신고 기간
사후 신고	계 약	계약 체결일부터 60일 이내 신고 예 교환, 증여 계약 ※ 매매계약은 부동산거래신고를 하여야 한다.
	계약 외	㉠ 취득한 날로부터 6개월 이내 신고 ※ 합병, 판결, 환매권, 경매, 상속 ㉡ 건축물의 신축·증축, 개축·재축
	계속 보유	외국인으로 변경된 날로부터 6개월 이내

27 부동산 거래신고 등에 관한 법령상 '허가구역 내 토지거래에 대한 허가'의 규정이 적용되지 않는 경우를 모두 고른 것은?

기본서 p.337~340

㉠ 「부동산 거래신고 등에 관한 법률」에 따라 외국인이 토지취득의 허가를 받은 경우
㉡ 「공익사업을 위한 토지 등의 취득 및 보상에 관한 법률」에 따라 토지를 환매하는 경우
㉢ 「한국농어촌공사 및 농지관리기금법」에 따라 한국농어촌공사가 농지의 매매를 하는 경우

① ㉠ ② ㉡ ③ ㉠, ㉢
④ ㉡, ㉢ ⑤ ㉠, ㉡, ㉢

해설 **제14조 【국가 등의 토지거래계약에 관한 특례 등】** ② 다음 각 호의 경우에는 제11조(허가구역 내 토지거래에 대한 허가)를 적용하지 아니한다.
1. 「공익사업을 위한 토지 등의 취득 및 보상에 관한 법률」에 따른 토지의 수용
2. 「민사집행법」에 따른 경매
3. 그 밖에 대통령령으로 정하는 경우
㉠ 「주택법」에 따른 사업계획의 승인을 받아 조성한 대지를 공급하는 경우
㉡ 「국유재산법」상 국유재산을 일반경쟁입찰로 처분하는 경우
㉢ 「공유재산 및 물품 관리법」 공유재산을 일반경쟁입찰로 처분하는 경우
㉣ 한국자산관리공사가 경쟁입찰을 거쳐서 매각하는 경우 또는 매각이 의뢰되어 3회 이상 공매하였으나 유찰된 토지를 매각하는 경우
㉤ 국세 및 지방세의 체납처분 또는 강제집행을 하는 경우 등이 있다(기타 내용은 영 제11조 제3항 참조).

Answer
25. ⑤ 26. ② 27. ⑤

28

부동산 거래신고 등에 관한 법령상 부동산거래신고의 대상이 아닌 것은? 기본서 p.288~289

① 「주택법」에 따른 조정대상지역에 소재하는 주택의 증여계약
② 「공공주택 특별법」에 따른 부동산의 공급계약
③ 토지거래허가를 받은 토지의 매매계약
④ 「택지개발촉진법」에 따른 부동산 공급계약을 통하여 부동산을 공급받는 자로 선정된 지위의 매매계약
⑤ 「빈집 및 소규모주택 정비에 관한 특례법」에 따른 사업시행계획인가로 취득한 입주자로 선정된 지위의 매매계약

해설 ① 토지, 건축물(공급계약, 지위)에 대한 매매계약이 신고대상이다.

29

甲의 저당권이 설정되어 있는 乙소유의 X주택을 丙이 임차하려고 한다. 개업공인중개사가 중개의뢰인 丙에게 임대차계약 체결 후 발생할 수 있는 상황에 관하여 설명한 내용으로 옳은 것은? (다툼이 있으면 판례에 따름) 기본서 p.465~468

① 丙이 X주택을 인도받고 그 주소로 동거하는 자녀의 주민등록을 이전하면 대항력이 인정되지 않는다.
② 丙이 부동산임대차 등기를 한 때에도 X주택을 인도받고 주민등록의 이전을 하지 않으면 대항력이 인정되지 않는다.
③ 乙이 보증금반환채권을 담보하기 위하여 丙에게 전세권을 설정해 준 경우, 乙은 丙의 전세권을 양수한 선의의 제3자에게 연체차임의 공제 주장으로 대항할 수 있다.
④ 丙이 「주택임대차보호법」상 최우선변제권이 인정되는 소액임차인인 때에도 甲의 저당권이 실행되면 丙의 임차권은 소멸한다.
⑤ 丙이 임대차계약을 체결한 후 丁이 X주택에 저당권을 설정 받았는데, 丁이 채권을 변제받지 못하자 X주택을 경매한 경우 甲의 저당권과 丙의 임차권은 매각으로 소멸하지 않는다.

해설 ① 주민등록이라는 대항요건은 임차인 본인뿐만 아니라 그 배우자나 자녀 등 가족의 주민등록을 포함한다.
② 부동산임대차 등기를 하면 등기 경료시에 대항력을 취득한다.
③ 乙은 丙의 전세권을 양수한 선의의 제3자에게 연체차임의 공제 주장으로 대항할 수 없다.
⑤ 甲의 저당권이 말소기준권리가 되기 때문에 甲의 저당권과 함께 후순위인 丙의 임차권은 매각으로 소멸한다.

30 **개업공인중개사가 「민사집행법」에 따른 강제경매에 관하여 중개의뢰인에게 설명한 내용으로 틀린 것은?** 기본서 p.503~514

① 법원이 경매절차를 개시하는 결정을 할 때에는 동시에 그 부동산의 압류를 명하여야 한다.
② 압류는 부동산에 대한 채무자의 관리·이용에 영향을 미치지 아니한다.
③ 제3자는 권리를 취득할 때에 경매신청 또는 압류가 있다는 것을 알았을 경우에도 압류에 대항할 수 있다.
④ 경매개시결정이 등기된 뒤에 가압류를 한 채권자는 배당요구를 할 수 있다.
⑤ 이해관계인은 매각대금이 모두 지급될 때까지 법원에 경매개시결정에 대한 이의신청을 할 수 있다.

해설 ③ 제3자는 경매신청 또는 압류에 대항할 수 없다.
①②④⑤ 「민사집행법상」의 경매절차에 모두 부합하다.

31 **개업공인중개사 甲은 「공인중개사의 매수신청대리인 등록 등에 관한 규칙」에 따라 매수신청대리인으로 등록한 후 乙과 매수신청대리에 관한 위임계약을 체결하였다. 이에 관한 설명으로 옳은 것은?** 기본서 p.518~532

① 甲이 법인이고 분사무소를 1개 둔 경우 매수신청대리에 따른 손해배상책임을 보장하기 위하여 설정해야 하는 보증의 금액은 6억원 이상이다.
② 甲은 매수신청대리 사건카드에 乙에게서 위임받은 사건에 관한 사항을 기재하고 서명 날인 한 후 이를 3년간 보존해야 한다.
③ 甲은 매수신청대리 대상물에 대한 확인·설명 사항을 서면으로 작성하여 사건카드에 철하여 3년간 보존해야 하며 乙에게 교부할 필요는 없다.
④ 등기사항증명서는 甲이 乙에게 제시할 수 있는 매수신청대리 대상물에 대한 설명의 근거자료에 해당하지 않는다.
⑤ 甲이 중개사무소를 이전한 경우 14일 이내에 乙에게 통지하고 지방법원장에게 그 사실을 신고해야 한다.

해설 ② 매수신청대리 사건카드 5년간 보존
③ 위임인 乙에게 확인·설명 사항을 서면으로 작성·교부하여야 하며, 5년간 보존해야 한다.
④ 개업공인중개사는 등기사항증명서 등 설명의 근거자료를 제시하고 매수신청대리 대상물의 권리관계, 매수인이 부담하여야 할 사항 등을 위임인에게 성실·정확하게 설명하여야 한다.
⑤ 개업공인중개사는 중개사무소를 이전한 경우 10일 안에 지방법원장에게 신고하여야 한다.

Answer
28. ① 29. ④ 30. ③ 31. ①

32

개업공인중개사가 구분소유권의 목적인 건물을 매수하려는 중개의뢰인에게 「집합건물의 소유 및 관리에 관한 법률」에 관하여 설명한 내용으로 옳은 것은? 집합건물법 출제

① 일부의 구분소유자만이 공용하도록 제공되는 것임이 명백한 공용부분도 구분소유자 전원의 공유에 속한다.

② 대지의 공유자는 그 대지에 구분소유권의 목적인 1동의 건물이 있을 때에도 그 건물 사용에 필요한 범위의 대지에 대해 분할을 청구할 수 있다.

③ 구분소유자는 공용부분을 개량하기 위해서 필요한 범위에서 다른 구분소유자의 전유부분의 사용을 청구할 수 있다.

④ 전유부분이 속하는 1동의 건물의 설치 또는 보존의 흠으로 인하여 다른 자에게 손해를 입힌 경우에는 그 흠은 전유부분에 존재하는 것으로 추정한다.

⑤ 대지사용권이 없는 구분소유자는 대지사용권자에게 대지사용권을 시가(時價)로 매도할 것을 청구할 수 있다.

해설 ① 일부의 구분소유자만이 공용하도록 제공되는 것임이 명백한 공용부분은 그들 구분소유자의 공유에 속한다.
② 그 대지의 공유자는 그 건물 사용에 필요한 범위의 대지에 대하여는 분할을 청구하지 못한다.
④ 그 흠은 공용부분에 존재하는 것으로 추정한다.
⑤ 대지사용권을 가지지 아니한 구분소유자가 있을 때에는 그 구분소유자에 대하여 구분소유권을 시가(時價)로 매도할 것을 청구할 수 있다.

33

개업공인중개사가 중개의뢰인에게 건물의 소유를 목적으로 한 토지임대차를 중개하면서 임대인을 상대로 지상건물에 대한 매수청구권을 행사할 수 있는 임차인에 대하여 설명하였다. 이에 해당하는 자를 모두 고른 것은? (다툼이 있으면 판례에 따르며, 특별한 사정은 고려하지 않음) 기본서 p.38~49

> ㉠ 종전 임차인이 신축한 건물을 매수한 임차인
> ㉡ 차임연체를 이유로 계약을 해지당한 임차인
> ㉢ 건물을 신축하였으나 행정관청의 허가를 받지 않은 임차인
> ㉣ 토지에 지상권이 설정된 경우 지상권자로부터 그 토지를 임차하여 건물을 신축한 임차인

① ㉠, ㉡　　② ㉡, ㉢　　③ ㉢, ㉣
④ ㉠, ㉡, ㉣　　⑤ ㉠, ㉢, ㉣

해설 ㉡ 임차인의 차임연체 등 채무불이행으로 임대차가 해지된 경우에는 갱신청구의 가능성이 없으므로 지상물매수청구는 불가능하다.

34

개업공인중개사가 소유자 甲으로부터 X주택을 임차한 「주택임대차보호법」상 임차인 乙에게 임차권등기명령과 그에 따른 임차권등기에 대하여 설명한 내용으로 옳은 것을 모두 고른 것은? (다툼이 있으면 판례에 따름)

기본서 p.472~476, 493~494

> ㉠ 법원의 임차권등기명령이 甲에게 송달되어야 임차권등기명령을 집행할 수 있다.
> ㉡ 乙이 임차권등기를 한 이후에 甲으로부터 X주택을 임차한 임차인은 최우선변제권을 가지지 못한다.
> ㉢ 乙이 임차권등기를 한 이후 대항요건을 상실하더라도, 乙은 이미 취득한 대항력이나 우선변제권을 잃지 않는다.
> ㉣ 乙이 임차권등기를 한 이후에는 이행지체에 빠진 甲의 보증금반환의무가 乙의 임차권등기 말소의무보다 먼저 이행되어야 한다.

① ㉡, ㉢ ② ㉠, ㉡, ㉣ ③ ㉠, ㉢, ㉣
④ ㉡, ㉢, ㉣ ⑤ ㉠, ㉡, ㉢, ㉣

해설 ㉠ 임대인에게 임차권등기명령이 송달되기 전에도 임차권등기명령을 집행할 수 있다(주택임대차보호법 제3조의3 제3항).

35

개업공인중개사가 X토지를 공유로 취득하고자 하는 甲, 乙에게 설명한 내용으로 옳은 것을 모두 고른 것은? (다툼이 있으면 판례에 따름)

기본서 p.436~438

> ㉠ 甲의 지분이 1/2, 乙의 지분이 1/2인 경우, 乙과 협의 없이 X토지 전체를 사용·수익하는 甲에 대하여 乙은 X토지의 인도를 청구할 수 있다.
> ㉡ 甲의 지분이 2/3, 乙의 지분이 1/3인 경우, 甲이 X토지를 임대하였다면 乙은 그 임대차의 무효를 주장할 수 없다.
> ㉢ 甲의 지분이 1/3, 乙의 지분이 2/3인 경우, 乙은 甲의 동의 없이 X토지를 타인에게 매도할 수 없다.

① ㉠ ② ㉡ ③ ㉠, ㉢
④ ㉡, ㉢ ⑤ ㉠, ㉡, ㉢

해설 ㉠ 乙은 甲에 대하여 X토지의 인도를 청구할 수 없다. 다만, 「민법」 제214조에 따른 방해배제청구권은 행사할 수 있다.

Answer

32. ③ 33. ⑤ 34. ④ 35. ④

36 **甲이 乙로부터 乙 소유의 X주택을 2020. 1. 매수하면서 그 소유권이전등기는 자신의 친구인 丙에게로 해 줄 것을 요구하였다**(이에 대한 丙의 동의가 있었음). **乙로부터 X주택의 소유권이전등기를 받은 丙은 甲의 허락을 얻지 않고 X주택을 丁에게 임대하였고, 丁은 X주택을 인도받은 후 주민등록을 이전하였다. 그런데 丁은 임대차계약 체결 당시에 甲의 허락이 없었음을 알고 있었다. 이에 대하여 개업공인중개사가 丁에게 설명한 내용으로 틀린 것은?** (다툼이 있으면 판례에 따름)

기본서 p.455~456

① 丙은 X주택의 소유권을 취득할 수 없다.
② 乙은 丙을 상대로 진정명의 회복을 위한 소유권이전등기를 청구할 수 있다.
③ 甲은 乙과의 매매계약을 기초로 乙에게 X주택의 소유권이전등기를 청구할 수 있다.
④ 丁은 甲 또는 乙에 대하여 임차권을 주장할 수 있다.
⑤ 丙은 丁을 상대로 임대차계약의 무효를 주장할 수 없지만, 甲은 그 계약의 무효를 주장할 수 있다.

해설 ⑤ 위 사례는 제3자 간 등기명의신탁에 해당된다. 명의신탁자 甲은 명의신탁약정 및 물권변동의 무효를 가지고 선·악을 불문하고 제3자인 丁에게 대항하지 못한다. 따라서, 甲은 대항력을 취득한 임차인 丁에게 그 계약의 무효를 주장할 수 없다.

37 **개업공인중개사가 중개의뢰인에게 「주택임대차보호법」상 계약갱신요구권에 관하여 설명한 것으로 옳은 것은?**

기본서 p.644~645

① 임차인은 최초의 임대차기간을 포함한 전체 임대차기간이 10년을 초과하지 아니하는 범위에서 계약갱신요구권을 행사할 수 있다.
② 임차인뿐만 아니라 임대인도 계약갱신요구권을 행사할 수 있다.
③ 임차인이 계약갱신요구권을 행사하여 임대차계약이 갱신된 경우 임차인은 언제든지 임대인에게 계약해지를 통지할 수 있다.
④ 임차인이 계약갱신요구권을 행사하여 임대차계약이 갱신된 경우 임대인은 차임을 증액할 수 없다.
⑤ 임차인이 계약갱신요구권을 행사하려는 경우 계약기간이 끝난 후 즉시 이를 행사하여야 한다.

해설 ①② 임차인은 계약갱신요구권을 1회에 한하여 행사할 수 있다. 이 경우 갱신되는 임대차의 존속기간은 2년으로 본다.
④ 임대인은 증액을 청구할 수 있으며 증액청구는 약정한 차임이나 보증금의 20분의 1의 금액을 초과하지 못한다. 또한 임대차계약 또는 증액이 있은 후 1년 이내에는 하지 못한다.
⑤ 임대인은 임차인이 임대차기간이 끝나기 6개월 전부터 2개월 전까지 계약갱신을 요구할 수 있다.

38

개업공인중개사가 상가건물을 임차하려는 중개의뢰인 甲에게 「상가건물 임대차보호법」의 내용에 관하여 설명한 것으로 틀린 것은? 기본서 p.483~500

① 甲이 건물을 인도 받고 「부가가치세법」에 따른 사업자등록을 신청하면 그 다음날부터 대항력이 생긴다.
② 확정일자는 건물의 소재지 관할 세무서장이 부여한다.
③ 임대차계약을 체결하려는 甲은 임대인의 동의를 받아 관할 세무서장에게 건물의 확정일자 부여일 등 관련 정보의 제공을 요청할 수 있다.
④ 甲이 거짓이나 그 밖의 부정한 방법으로 임차한 경우 임대인은 甲의 계약갱신요구를 거절할 수 있다.
⑤ 건물의 경매시 甲은 환가대금에서 우선변제권에 따른 보증금을 지급받은 이후에 건물을 양수인에게 인도하면 된다.

해설 ⑤ 임차인이 경매절차에서 배당금을 수령하기 위해서는 임차건물을 양수인에게 인도하지 아니하면 보증금을 받을 수 없다.

39

개업공인중개사가 토지를 매수하려는 중개의뢰인에게 분묘기지권에 관하여 설명한 내용으로 옳은 것을 모두 고른 것은? (다툼이 있으면 판례에 따름) 기본서 p.381~383

> ㉠ 분묘기지권을 시효취득한 사람은 시효취득한 때부터 지료를 지급할 의무가 발생한다.
> ㉡ 특별한 사정이 없는 한 분묘기지권자가 분묘의 수호와 봉사를 계속하는 한 그 분묘가 존속하는 동안은 분묘기지권이 존속한다.
> ㉢ 분묘기지권을 취득한 자는 그 분묘기지권의 등기 없이도 그 분묘가 설치된 토지의 매수인에게 대항할 수 있다.

① ㉡ ② ㉠, ㉡ ③ ㉠, ㉢
④ ㉡, ㉢ ⑤ ㉠, ㉡, ㉢

해설 ㉠ 분묘기지권자는 토지소유자가 지료 지급을 청구한 때로부터는 토지소유자에게 그 분묘 부분에 대한 지료를 지급할 의무가 있다.

Answer
36. ⑤ 37. ③ 38. ⑤ 39. ④

40 **토지를 매수하여 사설묘지를 설치하려는 중개의뢰인에게 개업공인중개사가 장사 등에 관한 법령에 관하여 설명한 내용으로 옳은 것은?** 기본서 p.384~392

① 개인묘지를 설치하려면 그 묘지를 설치하기 전에 해당 묘지를 관할하는 시장 등에게 신고해야 한다.

② 가족묘지를 설치하려면 해당 묘지를 관할하는 시장 등의 허가를 받아야 한다.

③ 개인묘지나 가족묘지의 면적은 제한을 받지만, 분묘의 형태나 봉분의 높이는 제한을 받지 않는다.

④ 분묘의 설치기간은 원칙적으로 30년이지만, 개인묘지의 경우에는 3회에 한하여 그 기간을 연장할 수 있다.

⑤ 설치기간이 끝난 분묘의 연고자는 그 끝난 날부터 1개월 이내에 해당 분묘에 설치된 시설물을 철거하고 매장된 유골을 화장하거나 봉안해야 한다.

해설 ① 개인묘지를 설치한 자는 묘지를 설치한 후 30일 이내에 해당 묘지를 관할하는 시장 등에게 신고하여야 한다.
③ 분묘의 봉분은 지면으로부터 1m, 평분의 높이는 50cm, 봉안시설 중 봉안묘의 높이는 70cm를 초과하여서는 아니 된다.
④ 1회에 한하여 30년으로 하여 연장하여야 한다. 다만, 5년 이상 30년 미만의 기간 내에서 조례로 단축할 수 있다.
⑤ 설치기간이 끝난 분묘의 연고자는 그 끝난 날부터 1년 이내에 해당 분묘에 설치된 시설물을 철거하고 매장된 유골을 화장하거나 봉안해야 한다.

Answer
40. ②

부동산공법

시 / 험 / 총 / 평

이번 제35회 부동산공법은 서술형 문제가 20문제, 단답형 문제가 12문제, 박스형 문제가 8문제(괄호 넣기 문제가 3문제)로 출제되었다. 각 법률별로 국토의 계획 및 이용에 관한 법률(긍정형 7문제, 부정형 4문제, 박스형 1문제), 도시개발법(긍정형 3문제, 부정형 3문제, 박스형 1문제, 박스형 문제 중 1문제는 계산문제), 도시 및 주거환경정비법(긍정형 2문제, 부정형 2문제, 박스형 2문제), 주택법(긍정형 1문제, 부정형 4문제, 박스형 2문제), 건축법(긍정형 3문제, 부정형 3문제, 박스형 1문제, 박스형 문제 중 1문제는 계산문제), 농지법(긍정형 0문제, 부정형 1문제, 박스형 1문제)으로 구성되어 출제되었다. 전체적으로 난이도가 상승했으며 각 법률마다 아주 쉬운 문제를 2~3문제씩 꼭 출제하였다.
법률별 출제경향을 보면 국토의 계획 및 이용에 관한 법률, 도시 및 주거환경정비법, 주택법은 많이 어려웠고, 건축법, 도시개발법, 농지법만 논점위주로 출제되었다.

01 국토의 계획 및 이용에 관한 법령상 용어에 관한 설명으로 옳은 것은? 기본서 p.21~23

① 행정청이 설치하는 공동묘지는 "공공시설"에 해당한다.
② 성장관리계획구역에서의 난개발을 방지하고 계획적인 개발을 유도하기 위하여 수립하는 계획은 "공간재구조화계획"이다.
③ 자전거전용도로는 "기반시설"에 해당하지 않는다.
④ 지구단위계획구역의 지정에 관한 계획은 "도시·군기본계획"에 해당한다.
⑤ "기반시설부담구역"은 기반시설을 설치하기 곤란한 지역을 대상으로 지정한다.

해설 ② 성장관리계획구역에서의 난개발을 방지하고 계획적인 개발을 유도하기 위하여 수립하는 계획은 성장관리계획이다.
공간재구조화계획은 토지의 이용 및 건축물이나 그 밖의 시설의 용도·건폐율·용적률·높이 등을 완화하는 용도구역의 효율적이고 계획적인 관리를 위하여 수립하는 계획을 말한다.
③ 자전거전용도로는 "기반시설"에 해당한다.
④ 지구단위계획구역의 지정에 관한 계획은 "도시·군관리계획"에 해당한다.
⑤ "개발밀도관리구역"은 기반시설을 설치하기 곤란한 지역을 대상으로 지정한다.
"기반시설부담구역"은 개발밀도관리구역 외의 지역으로서 개발로 인하여 도로, 공원, 녹지 등 대통령령으로 정하는 기반시설의 설치가 필요한 지역을 대상으로 기반시설을 설치하거나 그에 필요한 용지를 확보하게 하기 위하여 지정·고시하는 구역을 말한다.

Answer
01. ①

02 **국토의 계획 및 이용에 관한 법령상 지방자치단체의 장이 다른 법률에 따른 토지이용에 관한 구역을 지정하는 경우에 관한 설명으로 틀린 것은?**

① 지정하려는 구역의 면적이 1제곱킬로미터 미만인 경우 승인을 받지 않아도 된다.
② 농림지역에서 「수도법」에 따른 상수원보호구역을 지정하는 경우 국토교통부장관의 승인을 받아야 한다.
③ 지정하려는 구역이 도시·군기본계획에 반영된 경우에는 승인 없이 구역을 지정할 수 있다.
④ 승인을 받아 지정한 구역의 면적의 10퍼센트의 범위안에서 면적을 증감시키는 경우에는 따로 승인을 받지 않아도 된다.
⑤ 지정된 구역을 변경하거나 해제하려면 도시·군관리계획의 입안권자의 의견을 들어야 한다.

해설 ② 다음의 어느 하나에 해당하는 경우에는 국토교통부장관과의 협의를 거치지 아니하거나 국토교통부장관 또는 시·도지사의 승인을 받지 아니한다.

1. 다른 법률에 따라 지정하거나 변경하려는 구역등이 도시·군기본계획에 반영된 경우
2. 보전관리지역·생산관리지역·농림지역 또는 자연환경보전지역에서 다음의 지역을 지정하려는 경우
   가. 「농지법」에 따른 농업진흥지역
   나. 「한강수계 상수원수질개선 및 주민지원 등에 관한 법률」등에 따른 수변구역
   다. 「수도법」에 따른 상수원보호구역
   라. 「자연환경보전법」에 따른 생태·경관보전지역
   마. 「야생생물 보호 및 관리에 관한 법률」에 따른 야생생물 특별보호구역
   바. 「해양생태계의 보전 및 관리에 관한 법률」에 따른 해양보호구역
3. 군사상 기밀을 지켜야 할 필요가 있는 구역등을 지정하려는 경우
4. 협의 또는 승인을 받은 구역등을 대통령령으로 정하는 범위에서 변경하려는 경우

03 국토의 계획 및 이용에 관한 법령상 도시·군계획에 관한 설명으로 옳은 것은?

기본서 p.25, 40

① 도시·군기본계획의 내용이 광역도시계획의 내용과 다를 때에는 도시·군기본계획의 내용이 우선한다.

② 도시·군기본계획의 수립권자가 생활권계획을 따로 수립한 때에는 해당 계획이 수립된 생활권에 대해서는 도시·군관리계획이 수립된 것으로 본다.

③ 시장·군수가 미리 지방의회의 의견을 들어 수립한 도시·군기본계획의 경우 도지사는 지방도시계획위원회의 심의를 거치지 않고 해당 계획을 승인할 수 있다.

④ 주민은 공공청사의 설치에 관한 사항에 대하여 도시·군관리계획의 입안권자에게 그 계획의 입안을 제안할 수 있다.

⑤ 광역도시계획이나 도시·군기본계획을 수립할 때 도시·군관리계획을 함께 입안할 수 없다.

해설 ④ 공공청사는 기반시설에 해당하며 기반시설의 설치·정비·개량에 관한 사항에 대하여 도시·군관리계획의 입안을 제안할 수 있다.
① 도시·군기본계획의 내용이 광역도시계획의 내용과 다를 때에는 광역도시계획의 내용이 우선한다.
② 생활권계획이 수립 또는 승인된 때에는 해당 계획이 수립된 생활권에 대해서는 도시·군기본계획이 수립 또는 변경된 것으로 본다.
③ 도지사는 도시·군기본계획을 승인하려면 관계 행정기관의 장과 협의한 후 지방도시계획위원회의 심의를 거쳐야 한다.
⑤ 광역도시계획이나 도시·군기본계획을 수립할 때에 도시·군관리계획을 함께 입안할 수 있다.

PART 04

Answer
02. ② 03. ④

04 국토의 계획 및 이용에 관한 법령상 도시 · 군관리계획의 결정에 관한 설명으로 옳은 것은?

기본서 p.60~61

① 도시 · 군관리계획 결정의 효력은 지형도면을 고시한 날의 다음 날부터 발생한다.
② 시가화조정구역의 지정에 관한 도시 · 군관리계획 결정 당시 이미 사업에 착수한 자는 그 결정에도 불구하고 신고 없이 그 사업을 계속할 수 있다.
③ 국토교통부장관이 도시 · 군관리계획을 직접 입안한 경우에는 시 · 도지사가 지형도면을 작성하여야 한다.
④ 시장 · 군수가 입안한 지구단위계획의 수립에 관한 도시 · 군관리계획은 시장 · 군수의 신청에 따라 도지사가 결정한다.
⑤ 시 · 도지사는 국가계획과 관련되어 국토교통부장관이 입안하여 결정한 도시 · 군관리계획을 변경하려면 미리 국토교통부장관과 협의하여야 한다.

해설 ① 지형도면을 고시한 날부터 효력을 발생한다.
② 시가화조정구역 · 수산자원보호구역의 지정에 관한 도시 · 군관리계획 결정 당시 이미 사업에 착수한 자는 3개월 내에 신고하고 그 사업을 계속할 수 있다.
③ 국토교통부장관이 도시 · 군관리계획을 직접 입안한 경우에는 국토교통부장관이 직접 지형도면을 작성할 수 있다.
④ 시장 또는 군수가 입안한 지구단위계획구역의 지정 · 변경과 지구단위계획의 수립 · 변경에 관한 도시 · 군관리계획은 시장 또는 군수가 직접 결정한다.

05 국토의 계획 및 이용에 관한 법령상 해당 구역으로 지정되면 「건축법」 제69조에 따른 특별건축구역으로 지정된 것으로 보는 구역을 모두 고른 것은?

기본서 p.101

㉠ 도시혁신구역	㉡ 복합용도구역
㉢ 시가화조정구역	㉣ 도시자연공원구역

① ㉠
② ㉠, ㉡
③ ㉢, ㉣
④ ㉡, ㉢, ㉣
⑤ ㉠, ㉡, ㉢, ㉣

해설 ㉠ 도시혁신구역으로 지정된 지역은 「건축법」에 따른 특별건축구역으로 지정된 것으로 본다.
㉡ 복합용도구역으로 지정된 지역은 「건축법」에 따른 특별건축구역으로 지정된 것으로 본다.

06 **국토의 계획 및 이용에 관한 법령상 도시·군계획시설**(이하 '시설'이라 함)**에 관한 설명으로 옳은 것은?**

기본서 p.110~111, 120

① 시설결정의 고시일부터 10년 이내에 실시계획의 인가만 있고 시설사업이 진행되지 아니하는 경우 그 부지의 소유자는 그 토지의 매수를 청구할 수 있다.

② 공동구가 설치된 경우 쓰레기수송관은 공동구협의회의 심의를 거쳐야 공동구에 수용할 수 있다.

③ 「택지개발촉진법」에 따른 택지개발지구가 200만제곱미터를 초과하는 경우에는 공동구를 설치하여야 한다.

④ 시설결정의 고시일부터 20년이 지날 때까지 시설사업이 시행되지 아니하는 경우 그 시설결정은 20년이 되는 날에 효력을 잃는다.

⑤ 시설결정의 고시일부터 10년 이내에 시설사업이 시행되지 아니하는 경우 그 부지 내에 건물만을 소유한 자도 시설결정 해제를 위한 도시·군관리계획 입안을 신청할 수 있다.

해설 ① 시설결정의 고시일부터 10년 이내에 실시계획의 인가만 있고 시설사업이 진행되지 아니하는 경우 그 부지의 소유자는 그 토지의 매수를 청구할 수 없다.

② 공동구가 설치된 경우 하수도관, 가스관은 공동구협의회의 심의를 거쳐야 공동구에 수용할 수 있다.

④ 도시·군계획시설결정이 고시된 도시·군계획시설에 대하여 그 고시일부터 20년이 지날 때까지 그 시설의 설치에 관한 도시·군계획시설사업이 시행되지 아니하는 경우 그 도시·군계획시설결정은 그 고시일부터 20년이 되는 날의 다음 날에 그 효력을 잃는다.

⑤ 시설결정의 고시일부터 10년 이내에 그 시설의 설치에 관한 시설사업이 시행되지 아니한 경우로서 단계별 집행계획상 해당 시설의 실효 시까지 집행계획이 없는 경우에는 그 시설 부지로 되어 있는 토지의 소유자는 대통령령으로 정하는 바에 따라 해당 시설에 대한 도시·군관리계획 입안권자에게 그 토지의 시설결정 해제를 위한 도시·군관리계획 입안을 신청할 수 있다.

Answer

04. ⑤ 05. ② 06. ③

07 **국토의 계획 및 이용에 관한 법령상 개발행위허가**(이하 '허가'라 함)**에 관한 설명으로 옳은 것은?** 기본서 p.149~152

① 도시·군계획사업에 의하여 10층 이상의 건축물을 건축하려는 경우에는 허가를 받아야 한다.

② 건축물의 건축에 대한 허가를 받은 자가 그 건축을 완료하고 「건축법」에 따른 건축물의 사용승인을 받은 경우 허가권자의 준공검사를 받지 않아도 된다.

③ 허가를 받은 건축물의 연면적을 5퍼센트 범위에서 축소하려는 경우에는 허가권자에게 미리 신고하여야 한다.

④ 허가의 신청이 있는 경우 특별한 사유가 없으면 도시계획위원회의 심의 또는 기타 협의 기간을 포함하여 15일 이내에 허가 또는 불허가의 처분을 하여야 한다.

⑤ 국토교통부장관이 지구단위계획구역으로 지정된 지역에 대하여 허가의 제한을 연장하려면 중앙도시계획위원회의 심의를 거쳐야 한다.

해설 ① 도시·군계획사업에 의하여 10층 이상의 건축물을 건축하려는 경우에는 허가를 받지 아니한다.
③ 허가를 받은 건축물의 연면적을 5퍼센트 범위에서 축소하려는 경우에는 허가권자에게 미리 통지하여야 한다.
④ 허가의 신청이 있는 경우 특별한 사유가 없으면 도시계획위원회의 심의 또는 기타 협의 기간을 제외한 15일 이내에 허가 또는 불허가의 처분을 하여야 한다.
⑤ 국토교통부장관이 지구단위계획구역으로 지정된 지역에 대하여 허가의 제한을 연장하려면 중앙도시계획위원회의 심의를 거치지 아니한다.

08 **국토의 계획 및 이용에 관한 법령상 용도지역에 관한 설명으로 옳은 것은?** 기본서 p.68~72

① 용도지역은 토지를 경제적·효율적으로 이용하기 위하여 필요한 경우 서로 중복되게 지정할 수 있다.

② 용도지역은 필요한 경우 도시·군기본계획으로 결정할 수 있다.

③ 주민은 상업지역에 산업·유통개발진흥지구를 지정하여 줄 것을 내용으로 하는 도시·군관리계획의 입안을 제안할 수 있다.

④ 바다인 공유수면의 매립구역이 둘 이상의 용도지역과 이웃하고 있는 경우 그 매립구역은 이웃하고 있는 가장 큰 용도지역으로 지정된 것으로 본다.

⑤ 관리지역에서 「농지법」에 따른 농업진흥지역으로 지정·고시된 지역은 「국토의 계획 및 이용에 관한 법률」에 따른 농림지역으로 결정·고시된 것으로 본다.

해설 ① 용도지역은 토지를 경제적 · 효율적으로 이용하기 위하여 필요한 경우에도 서로 중복되지 아니하게 지정하여야 한다.
② 용도지역은 필요한 경우 도시 · 군관리계획으로 결정할 수 있다.
③ 주민은 자연녹지지역, 생산관리지역, 계획관리지역에 산업 · 유통개발진흥지구를 지정하여 줄 것을 내용으로 하는 도시 · 군관리계획의 입안을 제안할 수 있다.
④ 바다인 공유수면의 매립구역이 둘 이상의 용도지역과 이웃하고 있는 경우에는 그 매립구역이 속할 용도지역은 도시 · 군관리계획의 결정으로 지정하여야 한다.

09 국토의 계획 및 이용에 관한 법령상 기반시설부담구역에 관한 설명으로 옳은 것은?

기본서 p.164~167

① 공원의 이용을 위하여 필요한 편의시설은 기반시설부담구역에 설치가 필요한 기반시설에 해당하지 않는다.
② 기반시설부담구역에서 기존 건축물을 철거하고 신축하는 경우에는 기존 건축물의 건축연면적을 포함하는 건축행위를 기반시설설치비용의 부과대상으로 한다.
③ 지구단위계획을 수립한 경우에는 기반시설설치계획을 수립한 것으로 본다.
④ 기반시설부담구역 내에서 신축된 「건축법 시행령」상의 종교집회장은 기반시설설치비용의 부과대상이다.
⑤ 기반시설부담구역으로 지정된 지역에 대해서는 개발행위허가의 제한을 연장할 수 없다.

해설 ① 공원의 이용을 위하여 필요한 편의시설은 기반시설부담구역에 설치가 필요한 기반시설에 해당한다.
② 기존 건축물을 철거하고 신축하는 경우에는 기존 건축물의 건축 연면적을 초과하는 건축행위만 부과대상으로 한다.
④ 기반시설부담구역 내에서 신축된 「건축법 시행령」상의 종교집회장은 기반시설설치비용의 부과대상에서 제외된다.
⑤ 기반시설부담구역으로 지정된 지역에 대해서는 개발행위허가의 제한을 연장할 수 있다.

Answer
07. ② 08. ⑤ 09. ③

10 **국토의 계획 및 이용에 관한 법령상 개발진흥지구를 세분하여 지정할 수 있는 지구에 해당하지 않는 것은?** (단, 조례는 고려하지 않음) 기본서 p.88

① 주거개발진흥지구
② 중요시설물개발진흥지구
③ 복합개발진흥지구
④ 특정개발진흥지구
⑤ 관광・휴양개발진흥지구

해설 ② 개발진흥지구는 주거개발진흥지구, 산업・유통개발진흥지구, 관광・휴양개발진흥지구, 복합개발진흥지구, 특정개발진흥지구로 세분하여 지정할 수 있다.

11 **국토의 계획 및 이용에 관한 법령상 개발밀도관리구역에 관한 설명으로 틀린 것은?** 기본서 p.162~164

① 개발밀도관리구역의 변경 고시는 당해 지방자치단체의 공보에 게재하는 방법에 의한다.
② 개발밀도관리구역으로 지정될 수 있는 지역에 농림지역은 포함되지 않는다.
③ 개발밀도관리구역의 지정은 해당 지방자치단체에 설치된 지방도시계획위원회의 심의대상이다.
④ 개발밀도관리구역에서는 해당 용도지역에 적용되는 건폐율의 최대한도의 50퍼센트 범위에서 건폐율을 강화하여 적용한다.
⑤ 개발밀도관리구역은 기반시설부담구역으로 지정될 수 없다.

해설 ④ 개발밀도관리구역에서는 해당 용도지역에 적용되는 용적률의 최대한도의 50퍼센트 범위에서 용적률을 강화하여 적용한다.

12 **국토의 계획 및 이용에 관한 법령상 성장관리계획구역에서 30퍼센트 이하의 범위에서 성장관리계획으로 정하는 바에 따라 건폐율을 완화하여 적용할 수 있는 지역이 아닌 것은?** (단, 조례는 고려하지 않음) 기본서 p.159

① 생산관리지역
② 생산녹지지역
③ 보전녹지지역
④ 자연녹지지역
⑤ 농림지역

해설 ③ 성장관리계획구역에서 생산관리지역・농림지역 및 자연녹지지역과 생산녹지지역은 30퍼센트 이하의 범위에서 성장관리계획으로 정하는 바에 따라 건폐율을 완화하여 적용할 수 있는 지역이다.

13 도시개발법령상 환지 방식의 도시개발사업에 대한 개발계획 수립에 필요한 동의자의 수를 산정하는 방법으로 옳은 것은?

기본서 p.186~187

① 도시개발구역의 토지면적을 산정하는 경우: 국공유지를 제외하고 산정할 것
② 1인이 둘 이상 필지의 토지를 단독으로 소유한 경우: 필지의 수에 관계없이 토지 소유자를 1인으로 볼 것
③ 둘 이상 필지의 토지를 소유한 공유자가 동일한 경우: 공유자 각각을 토지 소유자 1인으로 볼 것
④ 1필지의 토지 소유권을 여럿이 공유하는 경우: 「집합건물의 소유 및 관리에 관한 법률」에 따른 구분소유자인지 여부와 관계없이 다른 공유자의 동의를 받은 대표 공유자 1인을 해당 토지 소유자로 볼 것
⑤ 도시개발구역의 지정이 제안된 후부터 개발계획이 수립되기 전까지의 사이에 토지 소유자가 변경된 경우: 변경된 토지 소유자의 동의서를 기준으로 할 것

해설 ① 도시개발구역의 토지면적을 산정하는 경우: 국·공유지를 포함하여 산정할 것
③ 둘 이상 필지의 토지를 소유한 공유자가 동일한 경우: 공유자 여럿을 대표하는 1인을 토지 소유자로 볼 것
④ 1필지의 토지 소유권을 여럿이 공유하는 경우: 다른 공유자의 동의를 받은 대표 공유자 1명만을 해당 토지 소유자로 볼 것. 다만, 집합건물의 소유 및 관리에 관한 법률에 따른 구분소유자는 각각을 토지 소유자 1명으로 본다.
⑤ 도시개발구역의 지정이 제안된 후부터 개발계획이 수립되기 전까지의 사이에 토지 소유자가 변경된 경우: 변경 전 토지 소유자의 동의서를 기준으로 할 것

14 도시개발법령상 수용 또는 사용 방식으로 시행하는 도시개발사업의 시행자로 지정될 수 없는 자는?

기본서 p.198~199

① 「한국철도공사법」에 따른 한국철도공사
② 지방자치단체
③ 「지방공기업법」에 따라 설립된 지방공사
④ 도시개발구역의 국공유지를 제외한 토지면적의 3분의 2 이상을 소유한 자
⑤ 도시개발구역의 토지 소유자가 도시개발을 위하여 설립한 조합

해설 ⑤ 도시개발구역의 토지 소유자가 도시개발을 위하여 설립한 조합은 도시개발구역의 전부를 환지 방식으로 시행하는 경우에 시행자로 지정한다.

Answer
10. ② 11. ④ 12. ③ 13. ② 14. ⑤

15 도시개발법령상 한국토지주택공사가 발행하려는 토지상환채권의 발행계획에 포함되어야 하는 사항이 아닌 것은?

기본서 p.212~213

① 보증기관 및 보증의 내용
② 토지가격의 추산방법
③ 상환대상지역 또는 상환대상토지의 용도
④ 토지상환채권의 발행가액 및 발행시기
⑤ 토지상환채권의 발행총액

해설 ① 보증기관 및 보증의 내용은 민간부문 시행자의 경우에만 해당한다.

≫ 토지상환채권의 발행계획

토지상환채권의 발행계획에는 다음의 사항이 포함되어야 한다.

1. 시행자의 명칭
2. 토지상환채권의 발행총액
3. 토지상환채권의 이율
4. 토지상환채권의 발행가액 및 발행시기
5. 상환대상지역 또는 상환대상토지의 용도
6. 토지가격의 추산방법
7. 보증기관 및 보증의 내용(민간부문 시행자가 발행하는 경우에만 해당한다)

16 도시개발법령상 환지 방식에 의한 사업 시행에 관한 설명으로 틀린 것은?

기본서 p.228~231

① 행정청이 아닌 시행자가 환지 계획을 작성하여 인가를 신청하려는 경우 토지 소유자와 임차권자등에게 환지 계획의 기준 및 내용 등을 알려야 한다.
② 「집합건물의 소유 및 관리에 관한 법률」에 따른 대지사용권에 해당하는 토지지분은 분할환지할 수 없다.
③ 환지 예정지가 지정되면 종전의 토지의 소유자는 환지 예정지 지정의 효력발생일부터 환지처분이 공고되는 날까지 종전의 토지를 사용할 수 없다.
④ 도시개발사업으로 임차권의 목적인 토지의 이용이 방해를 받아 종전의 임대료가 불합리하게 된 경우라도, 환지처분이 공고된 날의 다음 날부터는 임대료 감액을 청구할 수 없다.
⑤ 도시개발사업의 시행으로 행사할 이익이 없어진 지역권은 환지처분이 공고된 날이 끝나는 때에 소멸한다.

해설 ④ 도시개발사업으로 임차권등의 목적인 토지 또는 지역권에 관한 승역지(承役地)의 이용이 증진되거나 방해를 받아 종전의 임대료·지료, 그 밖의 사용료 등이 불합리하게 되면 당사자는 계약 조건에도 불구하고 장래에 관하여 그 증감을 청구할 수 있다. 다만, 환지처분이 공고된 날부터 60일이 지나면 임대료·지료, 그 밖의 사용료 등의 증감을 청구할 수 없다.

17 도시개발법령상 도시개발사업 조합에 관한 설명으로 옳은 것은? 기본서 p.202~205

① 조합을 설립하려면 도시개발구역의 토지 소유자 10명 이상이 정관을 작성하여 지정권자에게 조합 설립의 인가를 받아야 한다.
② 조합이 설립인가를 받은 사항 중 청산에 관한 사항을 변경하려는 경우에는 지정권자에게 신고하여야 한다.
③ 다른 조합원으로부터 해당 도시개발구역에 그가 가지고 있는 토지 소유권 전부를 이전 받은 조합원은 정관으로 정하는 바에 따라 본래의 의결권과는 별도로 그 토지 소유권을 이전한 조합원의 의결권을 승계할 수 있다.
④ 조합은 총회의 권한을 대행하게 하기 위하여 대의원회를 두어야 한다.
⑤ 조합의 임원으로 선임된 자가 금고 이상의 형을 선고받으면 그 날부터 임원의 자격을 상실한다.

해설 ① 조합을 설립하려면 도시개발구역의 토지 소유자 7명 이상이 정관을 작성하여 지정권자에게 조합 설립의 인가를 받아야 한다.
② 조합이 설립인가를 받은 사항 중 청산에 관한 사항을 변경하려는 경우에는 지정권자의 인가를 받아야 한다. 다만, 주된 사무소 소재지의 변경, 공고방법의 변경은 지정권자에게 신고하여야 한다.
④ 조합은 총회의 권한을 대행하게 하기 위하여 대의원회를 둘 수 있다.
⑤ 조합의 임원으로 선임된 자가 금고 이상의 형을 선고받으면 그 다음 날부터 임원의 자격을 상실한다.

PART 04

18 도시개발법령상 도시개발구역지정 이후 지정권자가 도시개발사업의 시행방식을 변경할 수 있는 경우를 모두 고른 것은? (단, 시행자는 국가이며, 시행방식 변경을 위한 다른 요건은 모두 충족됨) 기본서 p.210

ㄱ 수용 또는 사용방식에서 전부 환지 방식으로의 변경
ㄴ 수용 또는 사용방식에서 혼용방식으로의 변경
ㄷ 혼용방식에서 전부 환지 방식으로의 변경
ㄹ 전부 환지 방식에서 혼용방식으로의 변경

① ㄱ, ㄷ
② ㄱ, ㄹ
③ ㄴ, ㄹ
④ ㄱ, ㄴ, ㄷ
⑤ ㄴ, ㄷ, ㄹ

해설 ㄹ 전부 환지 방식에서 혼용방식으로 변경할 수 없다.

Answer
15. ① 16. ④ 17. ③ 18. ④

19 **도시 및 주거환경정비법령상 "토지등소유자"에 해당하지 않는 자는?** 기본서 p.249

① 주거환경개선사업 정비구역에 위치한 건축물의 소유자
② 재개발사업 정비구역에 위치한 토지의 지상권자
③ 재개발사업 정비구역에 위치한 건축물의 소유자
④ 재건축사업 정비구역에 위치한 건축물 및 그 부속토지의 소유자
⑤ 재건축사업 정비구역에 위치한 건축물 부속토지의 지상권자

해설 ⑤ 재건축사업 정비구역에 위치한 건축물 부속토지의 지상권자는 토지등소유자에 해당하지 않는다.

20 **도시 및 주거환경정비법령상 임대주택 및 주택규모별 건설비율에 관한 규정의 일부이다. (　　)에 들어갈 숫자로 옳은 것은?** 기본서 p.260

> 정비계획의 입안권자는 주택수급의 안정과 저소득주민의 입주기회 확대를 위하여 정비사업으로 건설하는 주택에 대하여 다음 각 호의 구분에 따른 범위에서 국토교통부장관이 정하여 고시하는 임대주택 및 주택규모별 건설비율 등을 정비계획에 반영하여야 한다.
> 1. 「주택법」에 따른 국민주택규모의 주택이 전체 세대수의 100분의 (㉠) 이하에서 대통령령으로 정하는 범위
> 2. 공공임대주택 및 「민간임대주택에 관한 특별법」에 따른 민간임대주택이 전체 세대수 또는 전체 연면적의 100분의 (㉡) 이하에서 대통령령으로 정하는 범위

① ㉠: 80, ㉡: 20
② ㉠: 80, ㉡: 30
③ ㉠: 80, ㉡: 50
④ ㉠: 90, ㉡: 30
⑤ ㉠: 90, ㉡: 50

해설 ④ 정비계획의 입안권자는 주택수급의 안정과 저소득주민의 입주기회 확대를 위하여 정비사업으로 건설하는 주택에 대하여 다음 각 호의 구분에 따른 범위에서 국토교통부장관이 정하여 고시하는 임대주택 및 주택규모별 건설비율 등을 정비계획에 반영하여야 한다.

> 1. 「주택법」에 따른 국민주택규모의 주택이 전체 세대수의 100분의 (㉠: 90) 이하에서 대통령령으로 정하는 범위
> 2. 공공임대주택 및 「민간임대주택에 관한 특별법」에 따른 민간임대주택이 전체 세대수 또는 전체 연면적의 100분의 (㉡: 30) 이하에서 대통령령으로 정하는 범위

21 도시 및 주거환경정비법령상 정비사업의 시행방법으로 허용되지 않는 것은? 기본서 p.269

① 주거환경개선사업: 환지로 공급하는 방법
② 주거환경개선사업: 인가받은 관리처분계획에 따라 주택 및 부대시설·복리시설을 건설하여 공급하는 방법
③ 재개발사업: 인가받은 관리처분계획에 따라 건축물을 건설하여 공급하는 방법
④ 재개발사업: 환지로 공급하는 방법
⑤ 재건축사업: 「국토의 계획 및 이용에 관한 법률」에 따른 일반주거지역인 정비구역에서 인가받은 관리처분계획에 따라 「건축법」에 따른 오피스텔을 건설하여 공급하는 방법

해설 ⑤ 재건축사업: 「국토의 계획 및 이용에 관한 법률」에 따른 준주거지역 및 상업지역인 정비구역에서 인가받은 관리처분계획에 따라 「건축법」에 따른 오피스텔을 건설하여 공급하는 방법으로 한다.

22 도시 및 주거환경정비법령상 조합설립 등에 관한 설명으로 옳은 것은? 기본서 p.272~274

① 재개발조합이 조합설립인가를 받은 날부터 3년 이내에 사업시행계획인가를 신청하지 아니한 때에는 시장·군수등은 직접 정비사업을 시행할 수 있다.
② 재개발사업의 추진위원회가 조합을 설립하려면 토지등소유자의 3분의 2 이상 및 토지면적의 2분의 1 이상의 토지소유자의 동의를 받아야 한다.
③ 토지등소유자가 30인 미만인 경우 토지등소유자는 조합을 설립하지 아니하고 재개발사업을 시행할 수 있다.
④ 조합은 재개발조합설립인가를 받은 때에도 토지등소유자에게 그 내용을 통지하지 아니한다.
⑤ 추진위원회는 조합설립인가 후 지체 없이 추정분담금에 관한 정보를 토지등소유자에게 제공하여야 한다.

해설 ② 재개발사업의 추진위원회가 조합을 설립하려면 토지등소유자의 4분의 3 이상 및 토지면적의 2분의 1 이상의 토지소유자의 동의를 받아야 한다.
③ 토지등소유자가 20인 미만인 경우 토지등소유자는 조합을 설립하지 아니하고 재개발사업을 시행할 수 있다.
④ 조합은 재개발조합설립인가를 받은 때에도 토지등소유자에게 그 내용을 통지하여야 한다.
⑤ 추진위원회는 조합설립에 필요한 동의를 받기 전에 추정분담금에 관한 정보를 토지등소유자에게 제공하여야 한다.

Answer
19. ⑤ 20. ④ 21. ⑤ 22. ①

23 **도시 및 주거환경정비법령상 사업시행계획의 통합심의에 관한 설명으로 옳은 것은?**

기본서 p.298~299

① 「경관법」에 따른 경관 심의는 통합심의 대상이 아니다.
② 시장·군수등은 특별한 사유가 없으면 통합심의 결과를 반영하여 사업시행계획을 인가하여야 한다.
③ 통합심의를 거친 경우 해당 사항에 대한 조정 또는 재정을 거친 것으로 보지 아니한다.
④ 통합심의위원회 위원장은 위원 중에서 호선한다.
⑤ 사업시행자는 통합심의를 신청할 수 없다.

해설 ① 「경관법」에 따른 경관 심의는 통합심의 대상이다.
③ 통합심의를 거친 경우 해당 사항에 대한 검토·심의·조사·협의·조정 또는 재정을 거친 것으로 본다.
④ 통합심의위원회 위원장과 부위원장은 통합심의위원회의 위원(이하 "위원"이라 한다) 중에서 정비구역지정권자가 임명하거나 위촉한다.
⑤ 사업시행자는 통합심의를 신청할 수 있다.

24 **도시 및 주거환경정비법령상 사업시행자가 관리처분계획이 인가·고시된 다음 날부터 90일 이내에 손실보상 협의를 하여야 하는 토지등소유자를 모두 고른 것은?** (단, 분양신청기간 종료일의 다음 날부터 협의를 시작할 수 있음)

기본서 p.309

> ㉠ 분양신청기간 내에 분양신청을 하지 아니한 자
> ㉡ 인가된 관리처분계획에 따라 분양대상에서 제외된 자
> ㉢ 분양신청기간 종료 후에 분양신청을 철회한 자

① ㉠
② ㉠, ㉡
③ ㉠, ㉢
④ ㉡, ㉢
⑤ ㉠, ㉡, ㉢

해설 ㉢ 분양신청기간 종료 이전에 분양신청을 철회한 자이다.
사업시행자는 관리처분계획이 인가·고시된 다음 날부터 90일 이내에 다음에서 정하는 자와 토지, 건축물 또는 그 밖의 권리의 손실보상에 관한 협의를 하여야 한다. 다만, 사업시행자는 분양신청기간 종료일의 다음 날부터 협의를 시작할 수 있다.

> 1. 분양신청을 하지 아니한 자
> 2. 분양신청기간 종료 이전에 분양신청을 철회한 자
> 3. 투기과열지구의 정비사업에서 관리처분계획에 따라 분양대상자 및 그 세대에 속한 자는 분양대상자 선정일부터 5년 이내에는 투기과열지구에서 분양신청을 할 수 없는 자
> 4. 인가된 관리처분계획에 따라 분양대상에서 제외된 자

25 주택법령상 "기간시설"에 해당하지 않는 것은? 기본서 p.431

① 전기시설
② 통신시설
③ 상하수도
④ 어린이놀이터
⑤ 지역난방시설

해설 ④ 어린이놀이터는 복리시설이다.
기간시설이란 도로 · 전기시설 · 가스시설 · 상하수도 · 지역난방시설 및 통신시설 등을 말한다.
간선시설이란 도로 · 전기시설 · 가스시설 · 상하수도 · 지역난방시설 및 통신시설 등 주택단지(2 이상의 주택단지를 동시에 개발하는 경우에는 각각의 주택단지) 안의 기간시설을 그 주택단지 밖에 있는 같은 종류의 기간시설에 연결시키는 시설을 말한다. 다만, 가스시설 · 통신시설 및 지역난방시설의 경우에는 주택단지 안의 기간시설을 포함한다.

26 주택법령상 사업계획의 승인 등에 관한 설명으로 틀린 것은? 기본서 p.459~461

① 승인받은 사업계획 중 공공시설 설치계획의 변경이 필요한 경우에는 사업계획승인권자로부터 변경승인을 받지 않아도 된다.
② 주택건설사업계획에는 부대시설 및 복리시설의 설치에 관한 계획 등이 포함되어야 한다.
③ 주택건설사업을 시행하려는 자는 전체 세대수가 600세대 이상인 주택단지를 공구별로 분할하여 주택을 건설 · 공급할 수 있다.
④ 주택건설사업계획의 승인을 받으려는 한국토지주택공사는 해당 주택건설대지의 소유권을 확보하지 않아도 된다.
⑤ 사업주체는 입주자 모집공고를 한 후 사업계획변경승인을 받은 경우에는 14일 이내에 문서로 입주예정자에게 그 내용을 통보하여야 한다.

해설 ① 승인받은 사업계획 중 공공시설 설치계획의 변경이 필요한 경우에는 사업계획승인권자로부터 변경승인을 받아야 한다.

Answer

23. ② 24. ② 25. ④ 26. ①

27 **주택법령상 수직증축형 리모델링의 허용 요건에 관한 규정의 일부이다. ( )에 들어갈 숫자로 옳은 것은?** 기본서 p.433

> 시행령 제13조 ① 법 제2조제25호다목1)에서 "대통령령으로 정하는 범위"란 다음 각 호의 구분에 따른 범위를 말한다.
> 1. 수직으로 증축하는 행위(이하 "수직증축형 리모델링"이라 한다)의 대상이 되는 기존 건축물의 층수가 (㉠)층 이상인 경우: (㉡)개층
> 2. 수직증축형 리모델링의 대상이 되는 기존 건축물의 층수가 (㉢)층 이하인 경우: (㉣)개층

① ㉠: 10, ㉡: 3, ㉢: 9, ㉣: 2
② ㉠: 10, ㉡: 4, ㉢: 9, ㉣: 3
③ ㉠: 15, ㉡: 3, ㉢: 14, ㉣: 2
④ ㉠: 15, ㉡: 4, ㉢: 14, ㉣: 3
⑤ ㉠: 20, ㉡: 5, ㉢: 19, ㉣: 4

해설 ③ 시행령 제13조 ① 법 제2조제25호다목1)에서 "대통령령으로 정하는 범위"란 다음 각 호의 구분에 따른 범위를 말한다.
1. 수직으로 증축하는 행위(이하 "수직증축형 리모델링"이라 한다)의 대상이 되는 기존 건축물의 층수가 (㉠ = 15)층 이상인 경우: (㉡ = 3)개층
2. 수직증축형 리모델링의 대상이 되는 기존 건축물의 층수가 (㉢ = 14)층 이하인 경우: (㉣ = 2)개층

28 **주택법령상 주택의 건설에 관한 설명으로 옳은 것은?** (단, 조례는 고려하지 않음) 기본서 p.428, 430

① 하나의 건축물에는 단지형 연립주택 또는 단지형 다세대주택과 소형 주택을 함께 건축할 수 없다.
② 국토교통부장관이 적정한 주택수급을 위하여 필요하다고 인정하는 경우, 고용자가 건설하는 주택에 대하여 국민주택규모로 건설하게 할 수 있는 비율은 주택의 75퍼센트 이하이다.
③ 「주택법」에 따라 건설사업자로 간주하는 등록사업자는 주택건설사업계획승인을 받은 주택의 건설공사를 시공할 수 없다.
④ 장수명 주택의 인증기준 · 인증절차 및 수수료 등은 「주택공급에 관한 규칙」으로 정한다.
⑤ 국토교통부장관은 바닥충격음 성능등급을 인정받은 제품이 인정받은 내용과 다르게 판매 · 시공한 경우에 해당하면 그 인정을 취소하여야 한다.

해설 ② 국토교통부장관이 적정한 주택수급을 위하여 필요하다고 인정하는 경우, 고용자가 건설하는 주택에 대하여 국민주택규모로 건설하게 할 수 있는 비율은 주택의 100퍼센트 이하이다.
③ 「주택법」에 따라 건설사업자로 간주하는 등록사업자는 주택건설사업계획승인을 받은 주택의 건설공사를 시공할 수 있다.
④ 장수명 주택의 인증기준 · 인증절차 및 수수료 등은 국토교통부령으로 정한다.
⑤ 국토교통부장관은 바닥충격음 성능등급을 인정받은 제품이 인정받은 내용과 다르게 판매 · 시공한 경우에 해당하면 그 인정을 취소할 수 있다.

29 주택법령상 사전방문 등에 관한 설명으로 틀린 것은?

① 사전방문한 입주예정자가 보수공사 등 적절한 조치를 요청한 사항이 하자가 아니라고 판단하는 사업주체는 사용검사권자에게 하자 여부를 확인해줄 것을 요청할 수 있다.
② 사업주체는 사전방문을 주택공급계약에 따라 정한 입주지정기간 시작일 60일 전까지 1일 이상 실시해야 한다.
③ 사업주체가 사전방문을 실시하려는 경우, 사용검사권자에 대한 사전방문계획의 제출은 사전방문기간 시작일 1개월 전까지 해야 한다.
④ 사용검사권자는 사업주체로부터 하자 여부의 확인 요청을 받은 날부터 7일 이내에 하자 여부를 확인하여 해당 사업주체에게 통보해야 한다.
⑤ 보수공사 등의 조치계획을 수립한 사업주체는 사전방문기간의 종료일부터 7일 이내에 사용검사권자에게 해당 조치계획을 제출해야 한다.

해설 ② 사업주체는 사전방문을 주택공급계약에 따라 정한 입주지정기간 시작일 45일 전까지 2일 이상 실시해야 한다.

PART 04

Answer
27. ③ 28. ① 29. ②

30 주택법령상 입주자저축에 관한 설명으로 틀린 것은?

기본서 p.456

① 입주자저축정보를 제공하는 입주자저축취급기관의 장은 입주자저축정보의 명의인이 요구하더라도 입주자저축정보의 제공사실을 통보하지 아니할 수 있다.

② 국토교통부장관으로부터 「주택법」에 따라 입주자저축정보의 제공 요청을 받은 입주자저축취급기간의 장은 「금융실명거래 및 비밀보장에 관한 법률」에도 불구하고 입주자저축정보를 제공하여야 한다.

③ "입주자저축"이란 국민주택과 민영주택을 공급받기 위하여 가입하는 주택청약종합저축을 말한다.

④ 국토교통부장관은 입주자저축의 납입방식 · 금액 및 조건 등에 필요한 사항에 관한 국토교통부령을 제정하거나 개정할 때에는 기획재정부장관과 미리 협의해야 한다.

⑤ 입주자저축은 한 사람이 한 계좌만 가입할 수 있다.

해설 ① 입주자저축정보를 제공하는 입주자저축취급기관의 장은 입주자저축정보의 명의인이 요구하면 입주자저축정보의 제공사실을 통보하여야 한다.

31 주택법령상 「주택공급에 관한 규칙」으로 정하는 사항을 모두 고른 것은?

㉠ 법 제54조에 따른 주택의 공급
㉡ 법 제57조에 따른 분양가격 산정방식
㉢ 법 제60조에 따른 견본주택의 건축기준
㉣ 법 제65조 제5항에 따른 입주자자격 제한

① ㉠, ㉡, ㉢
② ㉠, ㉡, ㉣
③ ㉠, ㉢, ㉣
④ ㉡, ㉢, ㉣
⑤ ㉠, ㉡, ㉢, ㉣

해설 ㉡ 법 제57조에 따른 분양가격 산정방식이 아니라 법 제56조에 따른 입주자저축이다.
다음 각 호의 사항은 「주택공급에 관한 규칙」으로 정한다.

1. 법 제54조에 따른 주택의 공급
2. 법 제56조에 따른 입주자저축
3. 법 제60조에 따른 견본주택의 건축기준
4. 법 제65조제5항에 따른 입주자자격 제한

32 **건축법령상 건축물의 "대수선"에 해당하지 <u>않는</u> 것은?** (단, 건축물의 증축·개축 또는 재축에 해당하지 않음)

기본서 p.341

① 보를 두 개 변경하는 것
② 기둥을 세 개 수선하는 것
③ 내력벽의 벽면적을 30제곱미터 수선하는 것
④ 특별피난계단을 변경하는 것
⑤ 다세대주택의 세대 간 경계벽을 증설하는 것

해설 ① 보를 세 개 이상 변경하는 것이 대수선에 해당한다.

33 **건축법령상 대지의 조경 등의 조치를 하지 아니할 수 있는 건축물이 <u>아닌</u> 것은?** (단, 가설건축물은 제외하고, 건축법령상 특례, 기타 강화·완화조건 및 조례는 고려하지 않음)

기본서 p.376~377

① 녹지지역에 건축하는 건축물
② 면적 4천 제곱미터인 대지에 건축하는 공장
③ 연면적의 합계가 1천 제곱미터인 공장
④ 「국토의 계획 및 이용에 관한 법률」에 따라 지정된 관리 지역(지구단위계획구역으로 지정된 지역이 아님)의 건축물
⑤ 주거지역에 건축하는 연면적의 합계가 1천500제곱미터인 물류시설

해설 ⑤ 주거지역 또는 상업지역에 건축하는 연면적의 합계가 1천500제곱미터인 물류시설은 조경 등의 조치를 하여야 한다.

Answer

30. ① 31. ③ 32. ① 33. ⑤

34 **건축법령상 공개공지등에 관한 설명으로 옳은 것은?** (단, 건축법령상 특례, 기타 강화·완화조건은 고려하지 않음) 기본서 p.378~380

① 노후 산업단지의 정비가 필요하다고 인정되어 지정·공고된 지역에는 공개공지등을 설치할 수 없다.
② 공개 공지는 필로티의 구조로 설치할 수 없다.
③ 공개공지등을 설치할 때에는 모든 사람들이 환경친화적으로 편리하게 이용할 수 있도록 긴 의자 또는 조경시설 등 건축조례로 정하는 시설을 설치해야 한다.
④ 공개공지등에는 건축조례로 정하는 바에 따라 연간 최장 90일의 기간 동안 주민들을 위한 문화행사를 열거나 판촉활동을 할 수 있다.
⑤ 울타리나 담장 등 시설의 설치 또는 출입구의 폐쇄 등을 통하여 공개공지등의 출입을 제한한 경우 지체 없이 관할 시장·군수·구청장에게 신고하여야 한다.

해설 ① 노후 산업단지의 정비가 필요하다고 인정되어 지정·공고된 지역에는 공개공지등을 설치할 수 있다.
② 공개 공지는 필로티의 구조로 설치할 수 있다.
④ 공개공지등에는 건축조례로 정하는 바에 따라 연간 최장 60일의 기간 동안 주민들을 위한 문화행사를 열거나 판촉활동을 할 수 있다.
⑤ 울타리나 담장 등의 시설을 설치하거나 출입구를 폐쇄하는 등 공개공지등의 출입을 차단하는 행위 등 공개공지 등의 활용을 저해하는 행위를 하여서는 아니 된다.

35 **건축법령상 건축물 안전영향평가에 관한 설명으로 옳은 것은?** 기본서 p.363

① 초고층 건축물에 대하여는 건축허가 이후 지체 없이 건축물 안전영향평가를 실시하여야 한다.
② 안전영향평가기관은 안전영향평가를 의뢰받은 날부터 30일 이내에 안전영향평가 결과를 허가권자에게 제출하여야 하며, 이 기간은 연장될 수 없다.
③ 건축물 안전영향평가 결과는 도시계획위원회의 심의를 거쳐 확정된다.
④ 허가권자는 안전영향평가에 대한 심의 결과 및 안전영향평가 내용을 일간신문에 게재하는 방법으로 공개하여야 한다.
⑤ 안전영향평가를 실시하여야 하는 건축물이 다른 법률에 따라 구조안전과 인접 대지의 안전에 미치는 영향 등을 평가 받은 경우에는 안전영향평가의 해당 항목을 평가받은 것으로 본다.

해설 ① 초고층 건축물에 대하여는 건축허가를 하기 전에 건축물 안전영향평가를 실시하여야 한다.
② 안전영향평가기관은 안전영향평가를 의뢰받은 날부터 30일 이내에 안전영향평가 결과를 허가권자에게 제출하여야 한다. 다만, 부득이한 경우에는 20일의 범위에서 그 기간을 한 차례만 연장할 수 있다.
③ 건축물 안전영향평가 결과는 건축위원회의 심의를 거쳐 확정된다.
④ 허가권자는 안전영향평가에 대한 심의 결과 및 안전영향평가 내용을 해당 지방자치단체의 공보에 게시하는 방법으로 공개하여야 한다.

36 건축법령상 건축허가 제한 등에 관한 설명으로 옳은 것은? 기본서 p.360

① 도지사는 지역계획에 특히 필요하다고 인정하더라도 허가 받은 건축물의 착공을 제한할 수 없다.
② 시장・군수・구청장이 건축허가를 제한하려는 경우에는 주민의견을 청취한 후 도시계획위원회의 심의를 거쳐야 한다.
③ 건축허가를 제한하는 경우 제한기간은 2년 이내로 하며, 1회에 한하여 1년 이내의 범위에서 제한기간을 연장할 수 있다.
④ 건축허가를 제한하는 경우 국토교통부장관은 제한 목적・기간 등을 상세하게 정하여 지체 없이 공고하여야 한다.
⑤ 건축허가를 제한한 경우 허가권자는 즉시 국토교통부장관에게 보고하여야 하며, 보고를 받은 국토교통부장관은 제한 내용이 지나치다고 인정하면 직권으로 이를 해제하여야 한다.

해설 ① 도지사는 지역계획에 특히 필요하다고 인정하더라도 허가 받은 건축물의 착공을 제한할 수 있다.
② 국토교통부장관이나 시・도지사는 건축허가나 건축허가를 받은 건축물의 착공을 제한하려는 경우에는 주민의견을 청취한 후 건축위원회의 심의를 거쳐야 한다.
④ 국토교통부장관이나 특별시장・광역시장・도지사는 건축허가나 건축물의 착공을 제한하는 경우 제한 목적・기간, 대상 건축물의 용도와 대상 구역의 위치・면적・경계 등을 상세하게 정하여 허가권자에게 통보하여야 하며, 통보를 받은 허가권자는 지체 없이 이를 공고하여야 한다.
⑤ 건축허가를 제한한 경우 허가권자는 즉시 국토교통부장관에게 보고하여야 하며, 보고를 받은 국토교통부장관은 제한 내용이 지나치다고 인정하면 그 해제를 명할 수 있다.

Answer
34. ③ 35. ⑤ 36. ③

37 **건축법령상 건축물의 마감재료 등에 관한 규정의 일부이다. ( )에 들어갈 내용으로 옳은 것은?** 기본서 p.391

> 대통령령으로 정하는 용도 및 규모의 건축물의 벽, 반자, 지붕(반자가 없는 경우에 한정한다) 등 내부의 (㉠)는 (㉡)에 지장이 없는 재료로 하되, 「실내공기질 관리법」제5조 및 제6조에 따른 (㉢) 유지기준 및 권고기준을 고려하고 관계 중앙행정기관의 장과 협의하여 국토교통부령으로 정하는 기준에 따른 것이어야 한다.

① ㉠: 난연재료, ㉡: 방화, ㉢: 공기청정
② ㉠: 완충재료, ㉡: 내진, ㉢: 실내공기질
③ ㉠: 완충재료, ㉡: 내진, ㉢: 공기청정
④ ㉠: 마감재료, ㉡: 방화, ㉢: 실내공기질
⑤ ㉠: 마감재료, ㉡: 내진, ㉢: 실내공기질

해설 ④ ㉠: 마감재료, ㉡: 방화, ㉢: 실내공기질이다.

38 **건축법령상 건축허가 대상 건축물로서 내진능력을 공개하여야 하는 건축물에 해당하지 않는 것은?** (단, 소규모건축구조기준을 적용한 건축물이 아님) 기본서 p.387

① 높이가 13미터인 건축물
② 처마높이가 9미터인 건축물
③ 기둥과 기둥 사이의 거리가 10미터인 건축물
④ 건축물의 용도 및 규모를 고려한 중요도가 높은 건축물로서 국토교통부령으로 정하는 건축물
⑤ 국가적 문화유산으로 보존할 가치가 있는 것으로 문화체육관광부령으로 정하는 건축물

해설 ⑤ 국가적 문화유산으로 보존할 가치가 있는 것으로 국토교통부령으로 정하는 건축물이 대상이다.
다음 각 호의 어느 하나에 해당하는 건축물을 건축하고자 하는 자는 사용승인을 받는 즉시 건축물이 지진 발생 시에 견딜 수 있는 능력(이하 "내진능력"이라 한다)을 공개하여야 한다.

> 1. 층수가 2층[주요구조부인 기둥과 보를 설치하는 건축물로서 그 기둥과 보가 목재인 목구조 건축물(이하 "목구조 건축물"이라 한다)의 경우에는 3층] 이상인 건축물
> 2. 연면적이 200제곱미터(목구조 건축물의 경우에는 500제곱미터) 이상인 건축물
> 3. 높이가 13미터 이상인 건축물
> 4. 처마높이가 9미터 이상인 건축물
> 5. 기둥과 기둥 사이의 거리가 10미터 이상인 건축물
> 6. 건축물의 용도 및 규모를 고려한 중요도가 높은 건축물로서 국토교통부령으로 정하는 건축물
> 7. 국가적 문화유산으로 보존할 가치가 있는 건축물로서 국토교통부령으로 정하는 것

8. 한쪽 끝은 고정되고 다른 끝은 지지(支持)되지 아니한 구조로 된 보 · 차양 등이 외벽(외벽이 없는 경우에는 외곽 기둥을 말한다)의 중심선으로부터 3미터 이상 돌출된 건축물
9. 특수한 설계 · 시공 · 공법 등이 필요한 건축물로서 국토교통부장관이 정하여 고시하는 구조로 된 건축물
10. 별표 1 제1호의 단독주택 및 같은 표 제2호의 공동주택
11. 제32조 제1항에 따른 구조기준 중 국토교통부령으로 정하는 소규모건축구조기준을 적용한 건축물

39

농지법령상 농지의 타용도 일시사용신고를 할 수 있는 용도에 해당하지 않는 것은? (단, 일시사용기간은 6개월 이내이며, 신고의 다른 요건은 충족한 것으로 봄) 기본서 p.534~535

① 썰매장으로 사용하는 경우
② 지역축제장으로 사용하는 경우
③ 해당 농지에서 허용되는 주목적사업을 위하여 물건을 매설하는 경우
④ 해당 농지에서 허용되는 주목적사업을 위하여 현장 사무소를 설치하는 경우
⑤ 「전기사업법」상 전기사업을 영위하기 위한 목적으로 「신에너지 및 재생에너지 개발 · 이용 · 보급 촉진법」에 따른 태양에너지 발전설비를 설치하는 경우

해설 ⑤ 「전기사업법」 상 전기사업을 영위하기 위한 목적으로 「신에너지 및 재생에너지 개발 · 이용 · 보급 촉진법」에 따른 태양에너지 발전설비를 설치하는 경우는 농지의 타용도 일시사용허가대상이다.
농지의 타용도 일시사용신고 등: 농지를 다음의 어느 하나에 해당하는 용도로 일시사용하려는 자는 지력을 훼손하지 아니하는 범위에서 일정 기간 사용한 후 농지로 원상복구한다는 조건으로 시장 · 군수 또는 자치구구청장에게 신고하여야 한다.

1. 썰매장, 지역축제장 등으로 일시적으로 사용하는 경우
2. 건축허가 또는 건축신고 대상시설이 아닌 간이 농수축산업용 시설(개량시설과 농축산물 생산시설은 제외한다)과 농수산물의 간이 처리 시설을 일시적으로 설치하는 경우
3. 주(主)목적사업(해당 농지에서 허용되는 사업만 해당한다)을 위하여 현장 사무소나 부대시설, 그 밖에 이에 준하는 시설을 설치하거나 물건을 적치(積置)하거나 매설(埋設)하는 경우

Answer
37. ④ 38. ⑤ 39. ⑤

40 농지법령상 농지를 농축산물 생산시설의 부지로 사용할 경우 "농지의 전용"으로 보지 않는 것을 모두 고른 것은? 기본서 p.531

> ㉠ 연면적 33제곱미터인 농막
> ㉡ 연면적 33제곱미터인 간이저온저장고
> ㉢ 저장 용량이 200톤인 간이액비저장조

① ㉠　　② ㉡　　③ ㉠, ㉢
④ ㉡, ㉢　　⑤ ㉠, ㉡, ㉢

해설 ④ 다음의 용도로 사용하는 경우에는 전용(轉用)으로 보지 아니한다. 즉, 농지전용없이 설치할 수 있다.

> 1. **농막**: 농작업에 직접 필요한 농자재 및 농기계 보관, 수확 농산물 간이 처리 또는 농작업 중 일시 휴식을 위하여 설치하는 시설(연면적 20제곱미터 이하이고, 주거 목적이 아닌 경우로 한정한다)
> 2. **간이저온저장고**: 연면적 33제곱미터 이하일 것
> 3. **간이액비저장조**: 저장 용량이 200톤 이하일 것

Answer
40. ④

부동산공시법령

시 / 험 / 총 / 평

이번 제35회 시험에서 '공간정보의 구축 및 관리에 관한 법률'은 비교적 쉽게 출제되었고, '부동산등기법'은 어렵게 출제되었다. 먼저 공간정보의 구축 및 관리 등에 관한 법률의 경우, 항상 반복 출제되던 학습테마인 토지의 등록, 지적공부, 토지의 이동에서 대부분의 문제가 평이하게 출제되었다. 다만, 분할지역의 면적결정방법, 축척변경의 확정공고 사항 등을 물은 문제들은 수험생들이 풀 수 없는 변별력 없는 문제들이었다.
한편, 항상 높은 난이도를 유지해 오던 부동산등기법은 이번에도 지금까지 한 번도 출제되지 않았던 유형의 변별력 없는 문제들이 절반 가까이 출제되었는데, 지역권에 관한 등기사항, 환매특약등기, 공동저당에 관한 내용, 관공서의 촉탁등기에 관련된 문제들이 여기에 해당한다. 그리고 나머지 절반 이상은 늘 반복하여 출제되던 주요 테마를 다룬 문제들로 채워졌다.

01 **공간정보의 구축 및 관리 등에 관한 법령상 지적소관청은 토지의 이동 등으로 토지의 표시 변경에 관한 등기를 할 필요가 있는 경우에는 지체 없이 관할 등기관서에 그 등기를 촉탁하여야 한다. 이 경우 등기촉탁의 대상이 아닌 것은?** 기본서 p.74, 101

① 지목변경
② 지번변경
③ 신규등록
④ 축척변경
⑤ 합병

해설 ③ 토지를 신규등록한 경우 지적소관청은 관할 등기관서에 등기촉탁을 할 필요가 없다.

02 **공간정보의 구축 및 관리 등에 관한 법령상 지목의 구분 및 설정방법 등에 관한 설명으로 틀린 것은?** 기본서 p.36~38

① 필지마다 하나의 지목을 설정하여야 한다.
② 1필지가 둘 이상의 용도로 활용되는 경우에는 주된 용도에 따라 지목을 설정하여야 한다.
③ 토지가 일시적 또는 임시적인 용도로 사용될 때에는 그 용도에 따라 지목을 변경하여야 한다.
④ 물을 상시적으로 이용하지 않고 닥나무 · 묘목 · 관상수 등의 식물을 주로 재배하는 토지의 지목은 "전"으로 한다.
⑤ 물을 상시적으로 직접 이용하여 벼 · 연(蓮) · 미나리 · 왕골 등의 식물을 주로 재배하는 토지의 지목은 "답"으로 한다.

해설 ③ 토지가 일시적 또는 임시적인 용도로 사용될 때에는 그 용도에 따라 지목을 변경할 수 없다.

Answer
01. ③ 02. ③

03 공간정보의 구축 및 관리 등에 관한 법령상 지상경계 및 지상경계점등록부 등에 관한 설명으로 틀린 것은?

기본서 p.40~42

① 지적공부에 등록된 경계점을 지상에 복원하는 경우에는 지상경계점등록부를 작성·관리하여야 한다.

② 토지의 지상경계는 둑, 담장이나 그 밖에 구획의 목표가 될 만한 구조물 및 경계점표지 등으로 구분한다.

③ 지상경계의 구획을 형성하는 구조물 등의 소유자가 다른 경우에는 그 소유권에 따라 지상경계를 결정한다.

④ 경계점 좌표는 경계점좌표등록부 시행지역의 지상경계점등록부의 등록사항이다.

⑤ 토지의 소재, 지번, 공부상 지목과 실제 토지이용 지목, 경계점의 사진 파일은 지상경계점등록부의 등록사항이다.

해설 ① 지적소관청은 토지의 이동에 따라 지상 경계를 새로 정한 경우에는 지상경계점등록부를 작성·관리하여야 한다. 경계점을 지상에 복원하는 경우에는 지상경계점등록부를 작성하지 아니한다.

04 공간정보의 구축 및 관리 등에 관한 법령상 등록전환에 따른 지번부여시 그 지번부여지역의 최종 본번의 다음 순번부터 본번으로 하여 순차적으로 지번을 부여할 수 있는 경우에 해당하는 것을 모두 고른 것은?

기본서 p.33

㉠ 대상토지가 여러 필지로 되어 있는 경우
㉡ 대상토지가 그 지번부여지역의 최종 지번의 토지에 인접하여 있는 경우
㉢ 대상토지가 이미 등록된 토지와 멀리 떨어져 있어서 등록된 토지의 본번에 부번을 부여하는 것이 불합리한 경우

① ㉠
② ㉠, ㉡
③ ㉠, ㉢
④ ㉡, ㉢
⑤ ㉠, ㉡, ㉢

해설 신규등록 및 등록전환지역의 지번부여방식

원 칙	당해 지번부여지역 안의 인접토지의 본번에 부번을 붙여서 부여한다.
예 외	다음의 경우에는 그 지번부여지역의 최종 본번의 다음 순번부터 본번으로 하여 순차적으로 지번을 부여할 수 있다. ① 대상 토지가 그 지번부여지역의 최종 지번의 토지에 인접하여 있는 경우 ② 대상 토지가 이미 등록된 토지와 멀리 떨어져 있어 등록된 특정 토지의 본번에 부번을 부여하는 것이 불합리한 경우 ③ 대상 토지가 여러 필지로 되어 있는 경우

05 공간정보의 구축 및 관리 등에 관한 법령상 경계점좌표등록부가 있는 지역의 토지분할을 위하여 면적을 정할 때의 기준에 대한 내용이다. ( )에 들어갈 내용으로 옳은 것은? (단, 다른 조건은 고려하지 아니함)

기본서 p.48

- 분할 후 각 필지의 면적합계가 분할 전 면적보다 많은 경우에는 구하려는 (㉠)부터 순차적으로 버려서 정하되, 분할 전 면적에 증감이 없도록 할 것
- 분할 후 각 필지의 면적합계가 분할 전 면적보다 적은 경우에는 구하려는 (㉡)부터 순차적으로 올려서 정하되, 분할 전 면적에 증감이 없도록 할 것

① ㉠: 끝자리의 숫자가 작은 것, ㉡: 끝자리의 숫자가 큰 것
② ㉠: 끝자리의 다음 숫자가 작은 것, ㉡: 끝자리의 다음 숫자가 큰 것
③ ㉠: 끝자리의 숫자가 큰 것, ㉡: 끝자리의 숫자가 작은 것
④ ㉠: 끝자리의 다음 숫자가 큰 것, ㉡: 끝자리의 다음 숫자가 작은 것
⑤ ㉠: 끝자리의 숫자가 큰 것, ㉡: 끝자리의 다음 숫자가 작은 것

해설 ② 경계점좌표등록부가 있는 지역의 토지분할을 위하여 면적을 정할 때에는 다음의 기준에 따른다.

1. 분할 후 각 필지의 면적합계가 분할 전 면적보다 많은 경우에는 구하려는 끝자리의 다음 숫자가 작은 것부터 순차적으로 버려서 정하되, 분할 전 면적에 증감이 없도록 할 것
2. 분할 후 각 필지의 면적합계가 분할 전 면적보다 적은 경우에는 구하려는 끝자리의 다음 숫자가 큰 것부터 순차적으로 올려서 정하되, 분할 전 면적에 증감이 없도록 할 것

06 공간정보의 구축 및 관리 등에 관한 법령상 합병 신청을 할 수 없는 경우에 관한 내용으로 틀린 것은? (단, 다른 조건은 고려하지 아니함)

기본서 p.80

① 합병하려는 토지의 지목이 서로 다른 경우
② 합병하려는 토지의 소유자별 공유지분이 다른 경우
③ 합병하려는 토지의 지번부여지역이 서로 다른 경우
④ 합병하려는 토지의 소유자에 대한 소유권이전등기 연월일이 서로 다른 경우
⑤ 합병하려는 토지의 지적도 축척이 서로 다른 경우

Answer

03. ① 04. ⑤ 05. ② 06. ④

해설 ④ 합병하려는 토지의 소유자가 다른 경우에는 합병할 수 없지만, 토지의 소유자에 대한 소유권이 전등기 연월일이 서로 다른 경우에는 합병할 수 있다.
다음의 경우에는 합병신청을 할 수 없다.

1. 합병하려는 토지의 지적도 및 임야도의 축척이 서로 다른 경우
2. 합병하려는 각 필지가 서로 연접하지 않은 경우
3. 합병하려는 토지가 등기된 토지와 등기되지 아니한 토지인 경우
4. 합병하려는 각 필지의 지목은 같으나 일부 토지의 용도가 다르게 되어 법 제79조 제2항에 따른 분할대상 토지인 경우. 다만, 합병 신청과 동시에 토지의 용도에 따라 분할 신청을 하는 경우는 제외한다.
5. 합병하려는 토지의 소유자별 공유지분이 다른 경우
6. 합병하려는 토지가 구획정리, 경지정리 또는 축척변경을 시행하고 있는 지역의 토지와 그 지역 밖의 토지인 경우
7. 합병하려는 토지 소유자의 주소가 서로 다른 경우

07 공간정보의 구축 및 관리 등에 관한 법령상 지적소관청이 지적공부의 등록사항을 직권으로 조사·측량하여 정정할 수 있는 경우로 틀린 것은?

기본서 p.87

① 연속지적도가 잘못 작성된 경우
② 지적공부의 작성 또는 재작성 당시 잘못 정리된 경우
③ 토지이동정리 결의서의 내용과 다르게 정리된 경우
④ 지적도 및 임야도에 등록된 필지가 면적의 증감 없이 경계의 위치만 잘못된 경우
⑤ 지방지적위원회 또는 중앙지적위원회의 의결서 사본을 받은 지적소관청이 그 내용에 따라 지적공부의 등록사항을 정정하여야 하는 경우

해설 ① 연속지적도가 잘못 작성된 경우는 지적소관청이 직권으로 조사·측량하여 정정할 수 없다.
지적소관청이 지적공부의 등록사항에 잘못이 있는지를 직권으로 조사·측량하여 정정할 수 있는 경우는 다음과 같다.

1. 지적측량성과와 다르게 정리된 경우
2. 토지이동정리 결의서의 내용과 다르게 정리된 경우
3. 지적공부의 작성 또는 재작성 당시 잘못 정리된 경우
4. 지적공부의 등록사항이 잘못 입력된 경우
5. 면적 환산이 잘못된 경우
6. 도면에 등록된 필지가 면적의 증감 없이 경계의 위치만 잘못된 경우
7. 임야대장의 면적과 등록전환될 면적의 차이가 허용범위를 초과하는 경우
8. 지적위원회의 의결서 내용에 따라 등록사항을 정정하여야 하는 경우
9. 토지합필등기신청의 각하에 따른 등기관의 통지가 있는 경우(지적소관청의 착오로 잘못 합병한 경우에만 해당함)

08

공간정보의 구축 및 관리 등에 관한 법령상 지목을 '잡종지'로 정할 수 있는 기준에 대한 내용으로 틀린 것은? (단, 원상회복을 조건으로 돌을 캐내는 곳 또는 흙을 파내는 곳으로 허가된 토지는 제외함)

기본서 p.38

① 공항시설 및 항만시설 부지
② 변전소, 송신소, 수신소 및 송유시설 등의 부지
③ 도축장, 쓰레기처리장 및 오물처리장 등의 부지
④ 모래·바람 등을 막기 위하여 설치된 방사제·방파제 등의 부지
⑤ 갈대밭, 실외에 물건을 쌓아두는 곳, 돌을 캐내는 곳, 흙을 파내는 곳, 야외시장 및 공동우물

해설 ④ 모래·바람 등을 막기 위하여 설치된 방사제·방파제 등의 부지는 '제방'으로 하여야 한다.

09

공간정보의 구축 및 관리 등에 관한 법령상 지적도와 임야도의 축척 중에서 공통된 것으로 옳은 것은?

기본서 p.57

① 1/1200, 1/2400　② 1/1200, 1/3000　③ 1/2400, 1/3000
④ 1/2400, 1/6000　⑤ 1/3000, 1/6000

해설 ⑤ 지적도면의 축척은 다음의 구분에 따른다.

1. **지적도**: 1/500, 1/600, 1/1000, 1/1200, 1/2400, 1/3000, 1/6000
2. **임야도**: 1/3000, 1/6000

따라서 지적도와 임야도의 공통된 축척은 1/3000과 1/6000이다.

10

공간정보의 구축 및 관리 등에 관한 법령상 지적공부와 등록사항의 연결이 옳은 것은?

기본서 p.59

① 토지대장 – 지목, 면적, 경계
② 경계점좌표등록부 – 지번, 토지의 고유번호, 지적도면의 번호
③ 공유지연명부 – 지번, 지목, 소유권 지분
④ 대지권등록부 – 좌표, 건물의 명칭, 대지권 비율
⑤ 지적도 – 삼각점 및 지적기준점의 위치, 도곽선(圖廓線)과 그 수치, 부호 및 부호도

해설 ① 경계는 지적도의 등록사항이다.
③ 지목은 토지(임야)대장과 지적도면의 등록사항이다.
④ 좌표는 경계점좌표등록부의 등록사항이다.
⑤ 부호 및 부호도는 경계점좌표등록부의 등록사항이다.

Answer
07. ①　08. ④　09. ⑤　10. ②

11 공간정보의 구축 및 관리 등에 관한 법령상 지적공부의 복구에 관한 관계 자료에 해당하는 것을 모두 고른 것은?

기본서 p.63

㉠ 측량 결과도
㉡ 법원의 확정판결서 정본 또는 사본
㉢ 토지(건물)등기사항증명서 등 등기사실을 증명하는 서류
㉣ 지적소관청이 작성하거나 발행한 지적공부의 등록내용을 증명하는 서류

① ㉠, ㉡
② ㉡, ㉢
③ ㉢, ㉣
④ ㉡, ㉢, ㉣
⑤ ㉠, ㉡, ㉢, ㉣

해설 ⑤ 지적측량수행계획서, 토지이용계획확인서, 지적측량의뢰서, 지적측량준비도, 개별공시지가자료를 제외한 ㉠ 측량 결과도, ㉡ 법원의 확정판결서 정본 또는 사본, ㉢ 토지(건물)등기사항증명서 등 등기사실을 증명하는 서류, ㉣ 지적소관청이 작성하거나 발행한 지적공부의 등록내용을 증명하는 서류 등은 모두 지적공부의 복구에 관한 관계자료에 해당한다.

12 공간정보의 구축 및 관리 등에 관한 법령상 축척변경에 관한 설명으로 옳은 것은?

기본서 p.90~94

① 도시개발사업 등의 시행지역에 있는 토지로서 그 사업시행에서 제외된 토지의 축척변경을 하는 경우 축척변경위원회의 심의 및 시·도지사 또는 대도시 시장의 승인을 받아야 한다.
② 지적소관청은 시·도지사 또는 대도시 시장으로부터 축척변경 승인을 받았을 때에는 지체 없이 축척변경의 목적, 시행지역 및 시행기간, 축척변경의 시행에 관한 세부계획, 축척변경의 시행에 따른 청산금액의 내용, 축척변경의 시행에 따른 토지소유자 등의 협조에 관한 사항을 15일 이상 공고하여야 한다.
③ 지적소관청은 축척변경에 관한 측량을 한 결과 측량 전에 비하여 면적의 증감이 있는 경우에는 그 증감면적에 대하여 청산을 하여야 한다. 다만, 토지소유자 3분의 2 이상이 청산하지 아니하기로 합의하여 서면으로 제출한 경우에는 그러하지 아니하다.
④ 지적소관청은 청산금을 내야 하는 자가 납부고지를 받은 날부터 1개월 이내에 청산금에 관한 이의신청을 하지 아니하고, 고지를 받은 날부터 3개월 이내에 지적소관청에 청산금을 내지 아니하면 「지방행정제재·부과금의 징수 등에 관한 법률」에 따라 징수할 수 있다.
⑤ 청산금의 납부 및 지급이 완료되었을 때에는 지적소관청은 지체 없이 축척변경의 확정공고를 하여야 하며, 확정공고 사항에는 토지의 소재 및 지역명, 축척변경 지번별 조서, 청산금 조서, 지적도의 축척이 포함되어야 한다.

해설 ① 도시개발사업 등의 시행지역에 있는 토지로서 그 사업시행에서 제외된 토지의 축척변경을 하는 경우에는 시·도지사 또는 대도시 시장의 승인을 받을 필요가 없다.
② 지적소관청은 시·도지사 또는 대도시 시장으로부터 축척변경 승인을 받았을 때에는 지체 없이 축척변경의 목적, 시행지역 및 시행기간, 축척변경의 시행에 관한 세부계획, 축척변경의 시행에 따른 청산금액의 내용, 축척변경의 시행에 따른 토지소유자 등의 협조에 관한 사항을 20일 이상 공고하여야 한다.
③ 지적소관청은 축척변경에 관한 측량을 한 결과 측량 전에 비하여 면적의 증감이 있는 경우에는 그 증감면적에 대하여 청산을 하여야 한다. 다만, 토지소유자 전원이 청산하지 아니하기로 합의하여 서면으로 제출한 경우에는 그러하지 아니하다.
④ 지적소관청은 청산금을 내야 하는 자가 납부고지를 받은 날부터 1개월 이내에 청산금에 관한 이의신청을 하지 아니하고, 고지를 받은 날부터 6개월 이내에 지적소관청에 청산금을 내지 아니하면 「지방행정제재·부과금의 징수 등에 관한 법률」에 따라 징수할 수 있다.

13

다음 중 등기원인에 약정이 있더라도 등기기록에 기록할 수 없는 사항은? 기본서 p.205

① 지상권의 존속기간
② 지역권의 지료
③ 전세권의 위약금
④ 임차권의 차임지급시기
⑤ 저당권부 채권의 이자지급장소

해설 ② 지료의 지급은 지역권의 성립요소가 아니므로, 등기사항에도 해당하지 않는다.

14

등기권리자와 등기의무자가 공동으로 등기신청을 해야 하는 것은? (단, 판결 등 집행권원에 의한 등기신청은 제외함) 기본서 p.222~228

① 소유권보존등기의 말소등기를 신청하는 경우
② 법인의 합병으로 인한 포괄승계에 따른 등기를 신청하는 경우
③ 등기명의인표시의 경정등기를 신청하는 경우
④ 토지를 수용한 사업시행자가 수용으로 인한 소유권이전등기를 신청하는 경우
⑤ 변제로 인한 피담보채권의 소멸에 의해 근저당권설정등기의 말소등기를 신청하는 경우

해설 ⑤ 변제로 인한 피담보채권의 소멸에 의해 근저당권설정등기의 말소등기를 신청하는 경우에는 등기의무자(근저당권자)와 등기권리자(근저당권설정자)가 공동으로 신청하여야 한다.

Answer
11. ⑤ 12. ⑤ 13. ② 14. ⑤

15 등기소에 제공해야 하는 부동산등기의 신청정보와 첨부정보에 관한 설명으로 틀린 것은?

기본서 p.131

① 등기원인을 증명하는 정보가 등기절차의 인수를 명하는 집행력 있는 판결인 경우, 승소한 등기의무자는 등기신청시 등기필정보를 제공할 필요가 없다.
② 대리인에 의하여 등기를 신청하는 경우, 신청정보의 내용으로 대리인의 성명과 주소를 제공해야 한다.
③ 매매를 원인으로 소유권이전등기를 신청하는 경우, 등기의무자의 주소 또는 사무소 소재지를 증명하는 정보를 제공해야 한다.
④ 등기상 이해관계 있는 제3자의 승낙이 필요한 경우, 이를 증명하는 정보 또는 이에 대항할 수 있는 재판이 있음을 증명하는 정보를 첨부정보로 제공해야 한다.
⑤ 첨부정보가 외국어로 작성된 경우에는 그 번역문을 붙여야 한다.

해설 ① 등기원인을 증명하는 정보가 등기절차의 인수를 명하는 집행력 있는 판결인 경우, 승소한 등기권리자는 등기신청시 등기필정보를 제공할 필요가 없지만, 승소한 등기의무자는 이를 반드시 제공하여야 한다.

16 등기신청의 각하사유로서 '사건이 등기할 것이 아닌 경우'를 모두 고른 것은?

기본서 p.150

ㄱ 구분건물의 전유부분과 대지사용권의 분리처분 금지에 위반한 등기를 신청한 경우
ㄴ 농지를 전세권설정의 목적으로 하는 등기를 신청한 경우
ㄷ 공동상속인 중 일부가 자신의 상속지분만에 대한 상속등기를 신청한 경우
ㄹ 소유권 외의 권리가 등기되어 있는 일반건물에 대해 멸실등기를 신청한 경우

① ㄱ, ㄴ
② ㄴ, ㄹ
③ ㄷ, ㄹ
④ ㄱ, ㄴ, ㄷ
⑤ ㄱ, ㄴ, ㄷ, ㄹ

해설 ㄹ 소유권 외의 권리가 등기되어 있는 건물에 대한 멸실등기의 신청이 있는 경우에 등기관은 그 권리의 등기명의인에게 1개월 이내의 기간을 정하여 그 기간까지 이의를 진술하지 아니하면 멸실등기를 한다는 뜻을 알려야 한다. 따라서 소유권 외의 권리가 등기되어 있는 일반건물에 대해 멸실등기를 신청한 경우는 법 제29조 제2호 소정의 사건이 등기할 것이 아닌 경우에 해당하는 등기가 아니다.

17 진정명의회복을 위한 소유권이전등기에 관한 설명으로 옳은 것을 모두 고른 것은?

기본서 p.185~186

> ㉠ 진정명의회복을 원인으로 하는 소유권이전등기를 신청하는 경우, 그 신청정보에 등기원인 일자는 기재하지 않는다.
> ㉡ 토지거래허가의 대상이 되는 토지에 관하여 진정명의회복을 원인으로 하는 소유권이전등기를 신청하는 경우에는 토지거래허가증을 첨부해야 한다.
> ㉢ 진정명의회복을 위한 소유권이전등기청구소송에서 승소확정판결을 받은 자는 그 판결을 등기원인으로 하여 현재 등기명의인의 소유권이전등기에 대하여 말소등기를 신청할 수는 없다.

① ㉠　② ㉡　③ ㉠, ㉢　④ ㉡, ㉢　⑤ ㉠, ㉡, ㉢

해설 ㉡ 토지거래허가의 대상이 되는 토지에 관하여 진정명의회복을 원인으로 하는 소유권이전등기를 신청하는 경우에는 토지거래허가증을 첨부할 필요가 없다.

PART 05

18 부동산등기에 관한 설명으로 옳은 것은?

기본서 p.241

① 유증으로 인한 소유권이전등기는 상속등기를 거치지 않으면 유증자로부터 직접 수증자 명의로 신청할 수 없다.
② 유증으로 인한 소유권이전등기 신청이 상속인의 유류분을 침해하는 내용인 경우에는 등기관은 이를 수리할 수 없다.
③ 상속재산분할심판에 따른 상속인의 소유권이전등기는 법정상속분에 따른 상속등기를 거치지 않으면 할 수 없다.
④ 상속등기 경료 전의 상속재산분할협의에 따라 상속등기를 신청하는 경우, 등기원인일자는 '협의분할일'로 한다.
⑤ 권리의 변경등기는 그 등기로 등기상 이해관계 있는 제3자의 권리가 침해되는 경우, 그 제3자의 승낙 또는 이에 대항할 수 있는 재판이 있음을 증명하는 정보의 제공이 없으면 부기등기로 할 수 없다.

해설 ① 유증으로 인한 소유권이전등기는 상속등기를 거치지 않고 유증자로부터 직접 수증자 명의로 신청하여야 한다.
② 유증으로 인한 소유권이전등기 신청이 상속인의 유류분을 침해하는 내용인 경우에도 등기관은 이를 수리하여야 한다.
③ 상속재산분할심판에 따른 상속인의 소유권이전등기는 법정상속분에 따른 상속등기를 거치지 않아도 된다.
④ 상속등기 경료 전의 상속재산분할협의에 따라 상속등기를 신청하는 경우, 등기원인일자는 '피상속인의 사망일'로 한다.

Answer

15. ①　16. ④　17. ③　18. ⑤

19 환매특약 등기에 관한 설명으로 틀린 것은?

기본서 p.179~180

① 매매로 인한 소유권이전등기의 신청과 환매특약등기의 신청은 동시에 하여야 한다.
② 환매등기의 경우 매도인이 아닌 제3자를 환매권리자로 하는 환매등기를 할 수 있다.
③ 환매특약등기에 처분금지적 효력은 인정되지 않는다.
④ 매매목적물의 소유권의 일부 지분에 대한 환매권을 보류하는 약정을 맺은 경우, 환매특약등기 신청은 할 수 없다.
⑤ 환매기간은 등기원인에 그 사항이 정하여져 있는 경우에만 기록한다.

해설 ② 환매등기의 경우 매도인이 아닌 제3자를 환매권리자로 하는 환매등기는 할 수 없다(대법원 등기선례 제3-566호).

20 임차권등기에 관한 설명으로 옳은 것을 모두 고른 것은?

기본서 p.218~221

㉠ 임차권설정등기가 마쳐진 후 임대차 기간 중 임대인의 동의를 얻어 임차물을 전대하는 경우, 그 전대등기는 부기등기의 방법으로 한다.
㉡ 임차권등기명령에 의한 주택임차권등기가 마쳐진 경우, 그 등기에 기초한 임차권이전등기를 할 수 있다.
㉢ 미등기 주택에 대하여 임차권등기명령에 의한 등기촉탁이 있는 경우, 등기관은 직권으로 소유권보존등기를 한 후 주택임차권등기를 해야 한다.

① ㉠
② ㉡
③ ㉠, ㉢
④ ㉡, ㉢
⑤ ㉠, ㉡, ㉢

해설 ㉡ 임대차 기간 중 임대인의 동의를 얻어 임차물을 전대하는 등기는 할 수 있지만, 임차권등기명령에 의한 주택임차권등기가 마쳐진 후, 그 등기에 기초한 임차권이전등기는 할 수 없다.

21 **부동산 공동저당의 등기에 관한 설명으로 옳은 것을 모두 고른 것은?** 기본서 p.224~225

> ㉠ 공동저당의 설정등기를 신청하는 경우, 각 부동산에 관한 권리의 표시를 신청정보의 내용으로 등기소에 제공해야 한다.
> ㉡ 등기관이 공동저당의 설정등기를 하는 경우, 각 부동산의 등기기록 중 해당 등기의 끝부분에 공동담보라는 뜻의 기록을 해야 한다.
> ㉢ 등기관이 공동저당의 설정등기를 하는 경우, 공동저당의 목적이 된 부동산이 3개일 때에는 등기관은 공동담보목록을 전자적으로 작성해야 한다.

① ㉠　② ㉢　③ ㉠, ㉡
④ ㉡, ㉢　⑤ ㉠, ㉡, ㉢

해설 ㉢ 등기관이 공동저당의 설정등기를 하는 경우, 공동저당의 목적이 된 부동산이 5개 이상일 때에는 등기관은 공동담보목록을 작성해야 한다.

22 **X토지에 관하여 A등기청구권보전을 위한 가등기 이후, B-C의 순서로 각 등기가 적법하게 마쳐졌다. B등기가 직권말소의 대상인 것은?** (A, B, C등기는 X를 목적으로 함) 기본서 p.268

	A		B		C
①	전세권설정	–	가압류등기	–	전세권설정본등기
②	임차권설정	–	저당권설정등기	–	임차권설정본등기
③	저당권설정	–	소유권이전등기	–	저당권설정본등기
④	소유권이전	–	저당권설정등기	–	소유권이전본등기
⑤	지상권설정	–	가압류등기	–	지상권설정본등기

해설 ④ 소유권이전청구권가등기에 의한 소유권이전의 본등기를 하는 경우 저당권설정등기는 등기관이 직권으로 말소하여야 한다.

구 분	직권말소하는 중간등기	직권말소하지 않는 중간등기
소유권이전청구권 보전가등기에 의한 본등기	• 소유권이전등기 • 처분제한등기 • 저당권설정등기 • 용익물권설정등기 • 임차권설정등기	• 가등기권자에게 대항할 수 있는 주택임차권등기 • 가등기상의 권리를 목적으로 하는 가압류(가처분)등기
용익물권설정청구권 보전가등기에 의한 본등기	• 용익물권설정등기 • 임차권설정등기	• 저당권설정등기

Answer
19. ②　20. ③　21. ③　22. ④

23 등기의 촉탁에 관한 설명으로 틀린 것은? 기본서 p.161

① 관공서가 상속재산에 대해 체납처분으로 인한 압류등기를 촉탁하는 경우, 상속인을 갈음하여 상속으로 인한 권리이전의 등기를 함께 촉탁할 수 없다.
② 법원의 촉탁으로 실행되어야 할 등기가 신청된 경우, 등기관은 그 등기신청을 각하해야 한다.
③ 법원은 수탁자 해임의 재판을 한 경우, 지체 없이 신탁 원부 기록의 변경등기를 등기소에 촉탁하여야 한다.
④ 관공서가 등기를 촉탁하는 경우 우편으로 그 촉탁서를 제출할 수 있다.
⑤ 촉탁에 따른 등기절차는 법률에 다른 규정이 없는 경우에는 신청에 따른 등기에 관한 규정을 준용한다.

해설 ① 체납처분으로 인한 부동산의 압류등기를 촉탁하는 경우에는 등기명의인 또는 상속인 그 밖의 포괄승계인을 갈음하여 상속 그 밖의 포괄승계로 인한 권리이전의 등기를 함께 촉탁할 수 있다.

24 가등기에 관한 설명으로 옳은 것은? (다툼이 있으면 판례에 따름) 기본서 p.265~273

① 소유권이전등기청구권 보전을 위한 가등기에 기한 본등기가 경료된 경우, 본등기에 의한 물권변동의 효력은 가등기한 때로 소급하여 발생한다.
② 소유권이전등기청구권 보전을 위한 가등기가 마쳐진 부동산에 처분금지가처분등기가 된 후 본등기가 이루어진 경우, 그 본등기로 가처분채권자에게 대항할 수 있다.
③ 정지조건부의 지상권설정청구권을 보전하기 위해서는 가등기를 할 수 없다.
④ 가등기된 소유권이전등기청구권이 양도된 경우, 그 가등기상의 권리의 이전등기를 가등기에 대한 부기등기의 형식으로 경료할 수 없다.
⑤ 소유권이전등기청구권 보전을 위한 가등기가 있으면 소유권이전등기를 청구할 어떤 법률관계가 있다고 추정된다.

해설 ① 소유권이전등기청구권 보전을 위한 가등기에 기한 본등기가 경료된 경우, 본등기에 의한 물권변동의 효력은 가등기한 때로 소급되지 아니한다.
③ 정지조건부의 지상권설정청구권을 보전하기 위한 가등기는 할 수 있다.
④ 가등기된 소유권이전등기청구권이 양도된 경우, 그 가등기상의 권리의 이전등기를 부기등기로 할 수 있다.
⑤ 가등기에는 추정적 효력이 인정되지 아니한다.

Answer
23. ① 24. ②

부동산세법

시 / 험 / 총 / 평

제35회 공인중개사 시험에서 부동산세법은 난이도를 극상급 3문제, 상급 2문제, 중급 7문제, 하급 4문제로 구분하여 출제하였다. 난이도 극상급 문제는 시험장에서 풀기에 어려운 문제였으며, 중급인 문제와 하급인 문제를 풀기에는 별 어려움이 없는 구성이었다. 최근 출제 경향인 기본 개념을 정확하게 이해한 수험생에게 합격 점수가 안정적으로 나올 수 있는 문제를 중급과 하급으로 출제하였다. 여기에 합격생 수를 조정하기 위해 틀리라고 낸 난이도 극상급의 문제를 출제하였다. 실제 시험장에서 난이도 극상급과 상급 문제를 통과한 후 난이도 중급과 하급에 해당하는 문제를 푸는 능력이 필요한 시험이었다.

01 **국세기본법령 및 지방세기본법령상 조세채권과 일반채권의 우선관계에 관한 설명으로 틀린 것은?** (단, 납세의무자의 신고는 적법한 것으로 가정함) 기본서 p.41

① 취득세의 법정기일은 과세표준과 세액을 신고한 경우 그 신고일이다.

② 토지를 양도한 거주자가 양도소득세 과세표준과 세액을 예정신고한 경우 양도소득세의 법정기일은 그 예정신고일이다.

③ 법정기일 전에 전세권이 설정된 사실은 양도소득세의 경우 부동산등기부 등본 또는 공증인의 증명으로 증명한다.

④ 주택의 직전 소유자가 국세의 체납 없이 전세권이 설정된 주택을 양도하였으나, 양도 후 현재 소유자의 소득세가 체납되어 해당 주택의 매각으로 그 매각금액에서 소득세를 강제징수하는 경우 그 소득세는 해당 주택의 전세권담보채권에 우선한다.

⑤ 「주택임대차보호법」 제8조가 적용되는 임대차관계에 있는 주택을 매각하여 그 매각금액에서 지방세를 강제징수하는 경우에는 임대차에 관한 보증금 중 일정액으로서 같은 법에 따라 임차인이 우선하여 변제받을 수 있는 금액에 관한 채권이 지방세에 우선한다.

해설 ④ 주택의 직전 소유자가 국세의 체납 없이 전세권이 설정된 주택을 양도하였으나, 양도 후 현재 소유자의 소득세가 체납되어 해당 주택의 매각으로 그 매각금액에서 소득세를 강제징수하는 경우 그 소득세는 해당 주택의 전세권담보채권에 우선하지 못한다(국세기본법 제35조 제1항 제3의2호).

Answer

01. ④

02 국세기본법령 및 지방세기본법령상 국세 또는 지방세 징수권의 소멸시효에 관한 설명으로 옳은 것은?

기본서 p.36

① 가산세를 제외한 국세가 10억원인 경우 국세징수권은 5년 동안 행사하지 아니하면 소멸시효가 완성된다.

② 가산세를 제외한 지방세가 1억원인 경우 지방세징수권은 7년 동안 행사하지 아니하면 소멸시효가 완성된다.

③ 가산세를 제외한 지방세가 5천만원인 경우 지방세징수권은 5년 동안 행사하지 아니하면 소멸시효가 완성된다.

④ 납세의무자가 양도소득세를 확정신고하였으나 정부가 경정하는 경우, 국세징수권을 행사할 수 있는 때는 납세의무자가 확정신고한 법정 신고납부기한의 다음 날이다.

⑤ 납세의무자가 취득세를 신고하였으나 지방자치단체의 장이 경정하는 경우, 납세고지한 세액에 대한 지방세징수권을 행사할 수 있는 때는 그 납세고지서에 따른 납부기한의 다음 날이다.

해설 ① 가산세를 제외한 국세가 10억원인 경우 국세징수권은 10년 동안 행사하지 아니하면 소멸시효가 완성된다(국세기본법 제27조 제1항 제1호).

② 가산세를 제외한 지방세가 1억원인 경우 지방세징수권은 10년 동안 행사하지 아니하면 소멸시효가 완성된다(지방세기본법 제39조 제1항 제1호).

③ 가산세를 제외한 지방세가 5천만원인 경우 지방세징수권은 10년 동안 행사하지 아니하면 소멸시효가 완성된다(지방세기본법 제39조 제1항 제1호).

④ 납세의무자가 양도소득세를 확정신고하였으나 정부가 경정하는 경우, 국세징수권을 행사할 수 있는 때는 그 고지에 따른 납부기한의 다음 날이다(국세기본법 제27조 제3항 제2호).

03 종합부동산세법령상 주택에 대한 과세에 관한 설명으로 옳은 것은? 기본서 p.208

① 「신탁법」 제2조에 따른 수탁자의 명의로 등기된 신탁주택의 경우에는 수탁자가 종합부동산세를 납부할 의무가 있으며, 이 경우 수탁자가 신탁주택을 소유한 것으로 본다.

② 법인이 2주택을 소유한 경우 종합부동산세의 세율은 1천분의 50을 적용한다.

③ 거주자 甲이 2023년부터 보유한 3주택(주택 수 계산에서 제외되는 주택은 없음) 중 2주택을 2024.6.17.에 양도하고 동시에 소유권이전등기를 한 경우, 甲의 2024년도 주택분 종합부동산세액은 3주택 이상을 소유한 경우의 세율을 적용하여 계산한다.

④ 신탁주택의 수탁자가 종합부동산세를 체납한 경우 그 수탁자의 다른 재산에 대하여 강제징수하여도 징수할 금액에 미치지 못할 때에는 해당 주택의 위탁자가 종합부동산세를 납부할 의무가 있다.

⑤ 공동명의 1주택자인 경우 주택에 대한 종합부동산세의 과세표준은 주택의 시가를 합산한 금액에서 11억원을 공제한 금액에 100분의 50을 한도로 공정시장가액비율을 곱한 금액으로 한다.

해설 ① 「신탁법」 제2조에 따른 수탁자의 명의로 등기된 신탁주택의 경우에는 위탁자가 종합부동산세를 납부할 의무가 있으며, 이 경우 위탁자가 신탁주택을 소유한 것으로 본다(종합부동산세법 제7조 제2항).

② 법인이 2주택을 소유한 경우 종합부동산세의 세율은 1천분의 27을 적용한다(종합부동산세법 제9조 제2항 제3호 가목).

④ 신탁주택의 위탁자가 종합부동산세를 체납한 경우 그 위탁자의 다른 재산에 대하여 강제징수하여도 징수할 금액에 미치지 못할 때에는 해당 주택의 수탁자가 종합부동산세를 납부할 의무가 있다(종합부동산세법 제7조의2).

⑤ 공동명의 1주택자인 경우 주택에 대한 종합부동산세의 과세표준은 주택의 공시가격을 합산한 금액에서 9억원을 공제한 금액에 100분의 60을 한도로 공정시장가액비율을 곱한 금액으로 한다(종합부동산세법 제8조 제1항 제3호).

Answer
02. ⑤ 03. ③

04 종합부동산세법령상 토지에 대한 과세에 관한 설명으로 옳은 것은? 기본서 p.215

① 토지분 재산세의 납세의무자로서 종합합산과세대상 토지의 공시가격을 합한 금액이 5억원인 자는 종합부동산세를 납부할 의무가 있다.

② 토지분 재산세의 납세의무자로서 별도합산과세대상 토지의 공시가격을 합한 금액이 80억원인 자는 종합부동산세를 납부할 의무가 있다.

③ 토지에 대한 종합부동산세는 종합합산과세대상, 별도합산과세대상 그리고 분리과세대상으로 구분하여 과세한다.

④ 종합합산과세대상인 토지에 대한 종합부동산세의 과세표준은 해당 토지의 공시가격을 합산한 금액에서 5억원을 공제한 금액에 100분의 50을 한도로 공정시장가액비율을 곱한 금액으로 한다.

⑤ 별도합산과세대상인 토지의 과세표준 금액에 대하여 해당 과세대상 토지의 토지분 재산세로 부과된 세액(「지방세법」에 따라 가감조정된 세율이 적용된 경우에는 그 세율이 적용된 세액, 같은 법에 따라 세부담 상한을 적용받은 경우에는 그 상한을 적용받은 세액을 말한다)은 토지분 별도합산세액에서 이를 공제한다.

해설 ① 토지분 재산세의 납세의무자로서 종합합산과세대상 토지의 공시가격을 합한 금액이 5억원을 초과하는 자는 종합부동산세를 납부할 의무가 있다(종합부동산세법 제12조 제1항 제1호).

② 토지분 재산세의 납세의무자로서 별도합산과세대상 토지의 공시가격을 합한 금액이 80억원을 초과하는 자는 종합부동산세를 납부할 의무가 있다(종합부동산세법 제12조 제1항 제2호).

③ 토지에 대한 종합부동산세는 종합합산과세대상, 별도합산과세대상으로 구분하여 과세한다(종합부동산세법 제11조).

④ 종합합산과세대상인 토지에 대한 종합부동산세의 과세표준은 해당 토지의 공시가격을 합산한 금액에서 5억원을 공제한 금액에 100분의 100을 한도로 공정시장가액비율을 곱한 금액으로 한다(종합부동산세법 제13조 제1항).

05 **지방세법령상 취득세의 취득당시가액에 관한 설명으로 옳은 것은?** (단, 주어진 조건 외에는 고려하지 않음) 기본서 p.95

① 건축물을 교환으로 취득하는 경우에는 교환으로 이전받는 건축물의 시가표준액과 이전하는 건축물의 시가표준액 중 낮은 가액을 취득당시가액으로 한다.

② 상속에 따른 건축물 무상취득의 경우에는 「지방세법」 제4조에 따른 시가표준액을 취득당시가액으로 한다.

③ 대물변제에 따른 건축물 취득의 경우에는 대물변제액(대물변제액 외에 추가로 지급한 금액이 있는 경우에는 그 금액을 제외한다)을 취득당시가액으로 한다.

④ 법인이 아닌 자가 건축물을 건축하여 취득하는 경우로서 사실상취득가격을 확인할 수 없는 경우에는 시가인정액을 취득당시가액으로 한다.

⑤ 법인이 아닌 자가 건축물을 매매로 승계취득하는 경우에는 그 건축물을 취득하기 위하여 「공인중개사법」에 따른 공인중개사에게 지급한 중개보수를 취득당시가액에 포함한다.

해설 ① 건축물을 교환으로 취득하는 경우에는 교환으로 이전받는 건축물의 시가인정액과 이전하는 건축물의 시가인정액 중 높은 가액을 취득당시가액으로 한다(지방세법시행령 제18조의4 제1항 제1호 나목).

③ 대물변제에 따른 건축물 취득의 경우에는 대물변제액(대물변제액 외에 추가로 지급한 금액이 있는 경우에는 그 금액을 포함한다)을 취득당시가액으로 한다(지방세법시행령 제18조의4 제1항 제1호 가목).

④ 법인이 아닌 자가 건축물을 건축하여 취득하는 경우로서 사실상취득가격을 확인할 수 없는 경우에는 시가표준액을 취득당시가액으로 한다(지방세법 제10조의4 제2항).

⑤ 법인이 아닌 자가 건축물을 매매로 승계취득하는 경우에는 그 건축물을 취득하기 위하여 「공인중개사법」에 따른 공인중개사에게 지급한 중개보수를 취득당시가액에 포함하지 아니한다(지방세법 시행령 제18조 제1항 제7호).

PART 06

Answer

04. ⑤ 05. ②

06 **지방세법령상 취득세에 관한 설명으로 틀린 것은?** (단, 지방세특례제한법령은 고려하지 않음) 기본서 p.128

① 대한민국 정부기관의 취득에 대하여 과세하는 외국정부의 취득에 대해서는 취득세를 부과한다.
② 토지의 지목을 사실상 변경함으로써 그 가액이 증가한 경우에는 취득으로 본다.
③ 국가에 귀속의 반대급부로 영리법인이 국가 소유의 부동산을 무상으로 양여받는 경우에는 취득세를 부과하지 아니한다.
④ 영리법인이 취득한 임시흥행장의 존속기간이 1년을 초과하는 경우에는 취득세를 부과한다.
⑤ 신탁(「신탁법」에 따른 신탁으로서 신탁등기가 병행되는 것만 해당한다)으로 인한 신탁재산의 취득 중 주택조합등과 조합원 간의 부동산 취득에 대해서는 취득세를 부과한다.

해설 ③ 국가에 귀속의 반대급부로 영리법인이 국가 소유의 부동산을 무상으로 양여받는 경우에는 취득세를 부과한다(지방세법 제9조 제2항 제2호).

07 **지방세법령상 부동산 취득에 대한 취득세의 표준세율로 옳은 것을 모두 고른 것은?** (단, 조례에 의한 세율조정, 지방세관계법령상 특례 및 감면은 고려하지 않음) 기본서 p.102

㉠ 상속으로 인한 농지의 취득: 1천분의 23 ㉡ 법인의 합병으로 인한 농지 외의 토지 취득: 1천분의 40 ㉢ 공유물의 분할로 인한 취득: 1천분의 17 ㉣ 매매로 인한 농지 외의 토지 취득: 1천분의 19

① ㉠, ㉡　　② ㉡, ㉢　　③ ㉢, ㉣
④ ㉠, ㉡, ㉢　　⑤ ㉡, ㉢, ㉣

해설 (1) 옳은 것: ㉠, ㉡
㉠ 상속으로 인한 농지의 취득: 1천분의 23(지방세법 제11조 제1항 제1호 가목)
㉡ 법인의 합병으로 인한 농지 외의 토지 취득: 1천분의 40(지방세법 제11조 5항)
(2) 틀린 것: ㉢, ㉣
㉢ 공유물의 분할로 인한 취득: 1천분의 17 ⇨ 1천분의 23(지방세법 제11조 제1항 제5호)
㉣ 매매로 인한 농지 외의 토지 취득: 1천분의 19 ⇨ 1천분의 40(지방세법 제11조 제1항 제7호 나목)

08 소득세법령상 거주자의 부동산과 관련된 사업소득에 관한 설명으로 옳은 것은?

기본서 p.321

① 해당 과세기간의 종합소득금액이 있는 거주자(종합소득과세표준이 없거나 결손금이 있는 거주자를 포함한다)는 그 종합소득 과세표준을 그 과세기간의 다음 연도 5월 1일부터 5월 31일까지 대통령령으로 정하는 바에 따라 납세지 관할 세무서장에게 신고하여야 하며, 해당 과세기간에 분리과세 주택임대소득이 있는 경우에도 이를 적용한다.

② 공장재단을 대여하는 사업은 부동산임대업에 해당되지 않는다.

③ 해당 과세기간의 주거용 건물 임대업을 제외한 부동산임대업에서 발생한 결손금은 그 과세기간의 종합소득과세표준을 계산할 때 공제한다.

④ 「공익사업을 위한 토지 등의 취득 및 보상에 관한 법률」 제4조에 따른 공익사업과 관련하여 지역권을 설정함으로써 발생하는 소득은 부동산업에서 발생하는 소득에 해당한다.

⑤ 사업소득에 부동산임대업에서 발생한 소득이 포함되어 있는 사업자는 그 소득별로 구분하지 않고 회계처리하여야 한다.

해설 ② 공장재단을 대여하는 사업은 부동산임대업에 해당된다(소득세법 제45조 제2항 제2호).

③ 해당 과세기간의 주거용 건물 임대업을 제외한 부동산임대업에서 발생한 결손금은 그 과세기간의 종합소득과세표준을 계산할 때 공제하지 아니한다(소득세법 제45조 제2항).

④ 「공익사업을 위한 토지 등의 취득 및 보상에 관한 법률」 제4조에 따른 공익사업과 관련하여 지역권을 설정함으로써 발생하는 소득은 부동산업에서 발생하는 소득에 해당하지 아니하고 기타소득에 해당한다(소득세법 제21조 제1항 제9호).

⑤ 사업소득에 부동산임대업에서 발생한 소득이 포함되어 있는 사업자는 그 소득별로 구분하여 회계처리하여야 한다(소득세법 제160조 제4항).

PART 06

Answer

06. ③ 07. ① 08. ①

09 지방세법령상 재산세 과세기준일 현재 납세의무자로 틀린 것은? 기본서 p.174

① 공부상에 개인 등의 명의로 등재되어 있는 사실상의 종중재산으로서 종중소유임을 신고하지 아니하였을 경우: 종중

② 상속이 개시된 재산으로서 상속등기가 이행되지 아니하고 사실상의 소유자를 신고하지 아니하였을 경우: 행정안전부령으로 정하는 주된 상속자

③ 「도시 및 주거환경정비법」에 따른 정비사업(재개발사업만 해당한다)의 시행에 따른 환지계획에서 일정한 토지를 환지로 정하지 아니하고 체비지로 정한 경우: 사업시행자

④ 「채무자 회생 및 파산에 관한 법률」에 따른 파산선고 이후 파산종결의 결정까지 파산재단에 속하는 재산의 경우: 공부상 소유자

⑤ 지방자치단체와 재산세 과세대상 재산을 연부(年賦)로 매매계약을 체결하고 그 재산의 사용권을 무상으로 받은 경우: 그 매수계약자

해설 ① 공부상에 개인 등의 명의로 등재되어 있는 사실상의 종중재산으로서 종중소유임을 신고하지 아니하였을 경우: 공부상 소유자(지방세법 제107조 제2항 제3호)

10 지방세법령상 재산세의 물납에 관한 설명으로 옳은 것을 모두 고른 것은? 기본서 p.190

㉠ 지방자치단체의 장은 재산세의 납부세액이 1천만원을 초과하는 경우에는 납세의무자의 신청을 받아 해당 지방자치단체의 관할구역에 있는 부동산에 대하여만 대통령령으로 정하는 바에 따라 물납을 허가할 수 있다.
㉡ 시장·군수·구청장은 법령에 따라 불허가 통지를 받은 납세의무자가 그 통지를 받은 날부터 10일 이내에 해당 시·군·구의 관할구역에 있는 부동산으로서 관리·처분이 가능한 다른 부동산으로 변경 신청하는 경우에는 변경하여 허가할 수 있다.
㉢ 물납을 허가하는 부동산의 가액은 물납 허가일 현재의 시가로 한다.

① ㉠ ② ㉢ ③ ㉠, ㉡
④ ㉡, ㉢ ⑤ ㉠, ㉡, ㉢

해설 (1) 옳은 것: ㉠, ㉡
(2) 틀린 것: ㉢
㉢ 물납을 허가하는 부동산의 가액은 재산세 과세기준일 현재의 시가로 한다(지방세법시행령 제115조 제1항).

11 **지방세법령상 재산세에 관한 설명으로 옳은 것은?** (단, 주어진 조건 외에는 고려하지 않음)

기본서 p.194

① 특별시 지역에서 「국토의 계획 및 이용에 관한 법률」에 따라 지정된 주거지역의 대통령령으로 정하는 공장용 건축물의 표준세율은 초과누진세율이다.

② 수탁자 명의로 등기·등록된 신탁재산의 수탁자는 과세기준일부터 15일 이내에 그 소재지를 관할하는 지방자치단체의 장에게 그 사실을 알 수 있는 증거자료를 갖추어 신고하여야 한다.

③ 주택의 토지와 건물 소유자가 다를 경우 해당 주택에 대한 세율을 적용할 때 해당 주택의 토지와 건물의 가액을 소유자별로 구분계산한 과세표준에 세율을 적용한다.

④ 주택의 재산세로서 해당 연도에 부과할 세액이 20만원 이하인 경우에는 납기를 9월 16일부터 9월 30일까지로 하여 한꺼번에 부과·징수할 수 있다.

⑤ 지방자치단체의 장은 과세대상의 누락으로 이미 부과한 재산세액을 변경하여야 할 사유가 발생하여도 수시로 부과·징수할 수 없다.

해설 ① 특별시 지역에서 「국토의 계획 및 이용에 관한 법률」에 따라 지정된 주거지역의 대통령령으로 정하는 공장용 건축물의 표준세율은 비례세율(1천분의 5)이다(지방세법 제111조 제1항 제2호 나목).

③ 주택의 토지와 건물 소유자가 다를 경우 해당 주택에 대한 세율을 적용할 때 해당 주택의 토지와 건물의 가액을 합산한 과세표준에 세율을 적용한다(지방세법 제113조 제3항).

④ 주택의 재산세로서 해당 연도에 부과할 세액이 20만원 이하인 경우에는 납기를 7월 16일부터 7월 31일까지로 하여 한꺼번에 부과·징수할 수 있다(지방세법 제115조 제1항 제3호).

⑤ 지방자치단체의 장은 과세대상의 누락으로 이미 부과한 재산세액을 변경하여야 할 사유가 발생하여도 수시로 부과·징수할 수 있다(지방세법 제115조 제2항).

PART 06

Answer

09. ① 10. ③ 11. ②

12 다음 자료를 기초로 할 때 소득세법령상 국내 토지A에 대한 양도소득세에 관한 설명으로 옳은 것은? (단, 甲, 乙, 丙은 모두 거주자임)

기본서 p.275

- 甲은 2018.6.20. 토지A를 3억원에 취득하였으며, 2020.5.15. 토지A에 대한 자본적 지출로 5천만원을 지출하였다.
- 乙은 2022.7.1. 직계존속인 甲으로부터 토지A를 증여받아 2022.7.25. 소유권이전등기를 마쳤다(토지A의 증여 당시 시가는 6억원임).
- 乙은 2024.10.20. 토지A를 甲 또는 乙과 특수 관계가 없는 丙에게 10억원에 양도하였다.
- 토지A는 법령상 협의매수 또는 수용된 적이 없으며, 소득세법 제97조의2 양도소득의 필요경비 계산 특례(이월과세)를 적용하여 계산한 양도소득 결정세액이 이를 적용하지 않고 계산한 양도소득 결정세액보다 크다고 가정한다.

① 양도차익 계산시 양도가액에서 공제할 취득가액은 6억원이다.
② 양도차익 계산시 甲이 지출한 자본적 지출액 5천만원은 양도가액에서 공제할 수 없다.
③ 양도차익 계산시 乙이 납부하였거나 납부할 증여세 상당액이 있는 경우 양도차익을 한도로 필요경비에 산입한다.
④ 장기보유 특별공제액 계산 및 세율 적용시 보유기간은 乙의 취득일부터 양도일까지의 기간으로 한다.
⑤ 甲과 乙은 양도소득세에 대하여 연대납세의무를 진다.

해설 ① 양도차익 계산시 양도가액에서 공제할 취득가액은 3억원이다(소득세법 제97조의2 제1항 제1호).
② 양도차익 계산시 甲이 지출한 자본적 지출액 5천만원은 양도가액에서 공제할 수 있다(소득세법 제95조 제4항 제2호).
④ 장기보유 특별공제액 계산 및 세율 적용시 보유기간은 甲의 취득일부터 양도일까지의 기간으로 한다(소득세법 제95조 제4항 단서).
⑤ 甲과 乙은 양도소득세에 대하여 연대납세의무가 없다.

13 소득세법령상 다음의 국내자산 중 양도소득세 과세대상에 해당하는 것을 모두 고른 것은? (단, 비과세와 감면은 고려하지 않음)

기본서 p.241

㉠ 토지 및 건물과 함께 양도하는 「개발제한구역의 지정 및 관리에 관한 특별조치법」에 따른 이축권(해당 이축권 가액을 대통령령으로 정하는 방법에 따라 별도로 평가하여 신고하지 않음)
㉡ 조합원입주권
㉢ 지역권
㉣ 부동산매매계약을 체결한 자가 계약금만 지급한 상태에서 양도하는 권리

① ㉠, ㉢
② ㉡, ㉣
③ ㉠, ㉡, ㉣
④ ㉡, ㉢, ㉣
⑤ ㉠, ㉡, ㉢, ㉣

해설 ㉠ 토지 및 건물과 함께 양도하는 「개발제한구역의 지정 및 관리에 관한 특별조치법」에 따른 이축권(해당 이축권 가액을 대통령령으로 정하는 방법에 따라 별도로 평가하여 신고하지 않음): 양도소득세 과세대상 ○ (소득세법 제94조 제1항 제4호 마목) ㉡ 조합원입주권: 양도소득세 과세대상 ○ (소득세법 제94조 제1항 제2호 가목) ㉢ 지역권: 양도소득세 과세대상 × ㉣ 부동산매매계약을 체결한 자가 계약금만 지급한 상태에서 양도하는 권리: 양도소득세 과세대상 ○ (소득세법 제94조 제1항 제2호 가목)

관련 기본통칙: 94-0…1 제3호

14 소득세법령상 거주자의 국내자산 양도에 대한 양도소득세에 관한 설명으로 옳은 것은?

기본서 p.269

① 부담부증여의 채무액에 해당하는 부분으로서 양도로 보는 경우에는 그 양도일이 속하는 달의 말일부터 2개월 이내에 양도소득세를 신고하여야 한다.

② 토지를 매매하는 거래당사자가 매매계약서의 거래가액을 실지거래가액과 다르게 적은 경우에는 해당 자산에 대하여 「소득세법」에 따른 양도소득세의 비과세에 관한 규정을 적용할 때, 비과세 받을 세액에서 '비과세에 관한 규정을 적용하지 아니하였을 경우의 양도소득 산출세액'과 '매매계약서의 거래가액과 실지거래가액과의 차액' 중 큰 금액을 뺀다.

③ 사업상의 형편으로 인하여 세대전원이 다른 시·군으로 주거를 이전하게 되어 6개월 거주한 주택을 양도하는 경우 보유기간 및 거주기간의 제한을 받지 아니하고 양도소득세가 비과세된다.

④ 토지의 양도로 발생한 양도차손은 동일한 과세기간에 전세권의 양도로 발생한 양도소득금액에서 공제할 수 있다.

⑤ 상속받은 주택과 상속개시 당시 보유한 일반주택을 국내에 각각 1개씩 소유한 1세대가 상속받은 주택을 양도하는 경우에는 국내에 1개의 주택을 소유하고 있는 것으로 보아 1세대 1주택 비과세 규정을 적용한다.

해설 ① 부담부증여의 채무액에 해당하는 부분으로서 양도로 보는 경우에는 그 양도일이 속하는 달의 말일부터 3개월 이내에 양도소득세를 신고하여야 한다(소득세법 제105조 제1항 제3호).
② 토지를 매매하는 거래당사자가 매매계약서의 거래가액을 실지거래가액과 다르게 적은 경우에는 해당 자산에 대하여 「소득세법」에 따른 양도소득세의 비과세에 관한 규정을 적용할 때, 비과세 받을 세액에서 '비과세에 관한 규정을 적용하지 아니하였을 경우의 양도소득 산출세액'과 '매매계약서의 거래가액과 실지거래가액과의 차액' 중 적은 금액을 뺀다(소득세법 제91조 제2항).
③ 사업상의 형편으로 인하여 세대전원이 다른 시·군으로 주거를 이전하게 되어 6개월 거주한 주택을 양도하는 경우 보유기간 및 거주기간의 제한을 받지 아니하고 양도소득세가 과세된다(소득세법시행령 제154조 제1항 제3호).
⑤ 상속받은 주택과 상속개시 당시 보유한 일반주택을 국내에 각각 1개씩 소유한 1세대가 상속받은 주택을 양도하는 경우에는 국내에 1개의 주택을 소유하고 있는 것으로 보아 1세대 1주택 비과세 규정을 적용하지 아니한다(소득세법시행령 제155조 제2항).

Answer

12. ③ 13. ③ 14. ④

15 **소득세법령상 거주자가 2024년에 양도한 국외자산의 양도소득세에 관한 설명으로 틀린 것은?** (단, 거주자는 해당 국외자산 양도일까지 계속 5년 이상 국내에 주소를 두고 있으며, 국외 외화차입에 의한 취득은 없음) 기본서 p.313

① 국외자산의 양도에 대한 양도소득이 있는 거주자는 양도소득 기본공제는 적용받을 수 있으나 장기보유 특별공제는 적용받을 수 없다.

② 국외 부동산을 양도하여 발생한 양도차손은 동일한 과세기간에 국내 부동산을 양도하여 발생한 양도소득금액에서 통산할 수 있다.

③ 국외 양도자산이 부동산임차권인 경우 등기여부와 관계없이 양도소득세가 과세된다.

④ 국외자산의 양도가액은 그 자산의 양도 당시의 실지거래가액으로 한다. 다만, 양도 당시의 실지거래가액을 확인할 수 없는 경우에는 양도자산이 소재하는 국가의 양도 당시 현황을 반영한 시가에 따르되, 시가를 산정하기 어려울 때에는 그 자산의 종류, 규모, 거래상황 등을 고려하여 대통령령으로 정하는 방법에 따른다.

⑤ 국외 양도자산이 양도 당시 거주자가 소유한 유일한 주택으로서 보유기간이 2년 이상인 경우에도 1세대 1주택 비과세 규정을 적용받을 수 없다.

해설 ② 국외 부동산을 양도하여 발생한 양도차손은 동일한 과세기간에 국내 부동산을 양도하여 발생한 양도소득금액에서 통산할 수 없다(소득세법 제118조의8)(소득세법 제102조).

16 **다음 자료를 기초로 할 때 소득세법령상 거주자 甲이 확정신고시 신고할 건물과 토지B의 양도소득과세표준을 각각 계산하면?** (단, 아래 자산 외의 양도자산은 없고, 양도소득과세표준 예정신고는 모두 하지 않았으며, 감면소득금액은 없다고 가정함) 기본서 p.252

구 분	건물(주택아님)	토지A	토지B
양도차익(차손)	15,000,000원	(20,000,000원)	25,000,000원
양도일자	2024.3.10.	2024.5.20.	2024.6.25.
보유기간	1년 8개월	4년 3개월	3년 5개월

- 위 자산은 모두 국내에 있으며 등기됨
- 토지A, 토지B는 비사업용 토지 아님
- 장기보유 특별공제율은 6%로 가정함

	건 물	토지B
①	0원	16,000,000원
②	0원	18,500,000원
③	11,600,000원	5,000,000원
④	12,500,000원	3,500,000원
⑤	12,500,000원	1,000,000원

해설 1. 양도차손의 공제

「소득세법」 제102조 제1항에 따라 "양도소득금액"을 계산할 때 양도차손이 발생한 자산이 있는 경우에는 「소득세법」 제102조 제1항 각 호별로 해당 자산 외의 다른 자산에서 발생한 양도소득금액에서 그 양도차손을 공제한다. 이 경우 공제방법은 양도소득금액의 세율 등을 고려하여 대통령령으로 정한다(소득세법 제102조 제2항).

2. 양도차손의 공제순서

「소득세법」 제102조 제2항의 규정에 의한 양도차손은 다음 각 호[(1), (2)]의 자산의 양도소득금액에서 순차로 공제한다(소득세법시행령 제167조의2 제1항).

(1) 양도차손이 발생한 자산과 같은 세율을 적용받는 자산의 양도소득금액(소득세법시행령 제167조의2 제1항 제1호)

(2) 양도차손이 발생한 자산과 다른 세율을 적용받는 자산의 양도소득금액. 이 경우 다른 세율을 적용받는 자산의 양도소득금액이 2 이상인 경우에는 각 세율별 양도소득금액의 합계액에서 당해 양도소득금액이 차지하는 비율로 안분하여 공제한다(소득세법시행령 제167조의2 제1항 제2호).

	구 분	건 물	토지A	토지B
	양도가액			
−	취득가액			
−	기타필요경비			
=	양도차익	15,000,000원	(20,000,000원)	25,000,000원
−	장기보유특별공제	−	−	1,500,000원
=	양도소득금액	15,000,000원	(20,000,000원)	23,500,000원
	세율 구분	40%	6~45%	6~45%
	양도차손의 통산	−	−	(20,000,000원)
	통산 후 양도소득금액	−	−	3,500,000원
−	양도소득기본공제	2,500,000원	−	0원
=	과세표준	12,500,000원		3,500,000원

양도차손의 통산 사례(양도집행 102-167의2-3)

구 분	양도차익 ①	결손금 ②	1차 통산 (①-②)	2차 통산 (세율별 배분)	소득금액
누진세율	100	−	100	△200 × (100/800) = △25	100 − 25 = 75
40% 세율	200	△400	△200	−	−
50% 세율	500	△100	400	△200 × (400/800) = △100	400 − 100 = 300
70% 세율	300	−	300	△200 × (300/800) = △75	300 − 75 = 225
합 계	−	△500	△200	△200	−
	1,100	−	800	−	600

Answer

15. ② 16. ④

2025 제36회 공인중개사 시험대비

박문각 공인중개사

2024년 제35회 공인중개사 시험 기출문제해설

초판 인쇄 : 2024년 10월 25일
초판 발행 : 2024년 10월 30일
편 저 : 박문각 부동산교육연구소
발 행 인 : 박 용
발 행 처 : (주)박문각출판
등 록 : 2015. 4. 29. 제2019-000137호
주 소 : 06654 서울시 서초구 효령로 283 서경B/D 4층
교재주문 · 학습문의 : (02) 6466-7202

비매품 ISBN 979-11-7262-306-7